CB056309

GHOST STORIES

UM AVISO AO CURIOSO
E OUTRAS HISTÓRIAS

M.R. James

PandorgA

Todos os direitos reservados
Copyright © 2021 by Editora Pandorga

Direção Editorial
Silvia Vasconcelos

Produção Editorial
Equipe Editora Pandorga

Tradução
Raquel Casini

Revisão
Gabriel Lago
Ana Paula Pertile

Capa e Projeto Gráfico
Lumiar Design

Texto de acordo com as normas do Novo Acordo Ortográfico da Língua Portuguesa
(Decreto Legislativo nº 54, de 1995)

Dados Internacionais de Catalogação na Publicação (CIP)
de acordo com o ISBD

J27a   James, M. R.

Um aviso ao curioso e outras histórias / M. R. James ; traduzido por Raquel Casini. - Cotia : Pandorga, 2021.
160 p. : il. ; 14cm x 21cm.

Inclui índice.
ISBN: 978-65-5579-095-5

1. Literatura inglesa. 2. Ficção. 3. Suspense. 4. Terror. I. Casini, Raquel. II. Título.

2021-2004   CDD 823.91
                                        CDU 821.111-3

Elaborado por Odilio Hilario Moreira Junior - CRB-8/9949

Índice para catálogo sistemático:
1. Literatura inglesa : Ficção 823.91
2. Literatura inglesa : Ficção 821.111-3

2021
IMPRESSO NO BRASIL
PRINTED IN BRAZIL
DIREITOS CEDIDOS PARA ESTA EDIÇÃO À
EDITORA PANDORGA
Avenida São Camilo, 899
CEP 06709-150 - Granja Viana - Cotia - SP
Tel. (11) 4612-6404

www.editorapandorga.com.br

SUMÁRIO

M. R. James [7]

A casa de bonecas assombrada [11]

O livro de orações incomum [31]

O marco de um vizinho [55]

A vista de uma colina [77]

Um aviso ao curioso [107]

Entretenimento de uma noite [137]

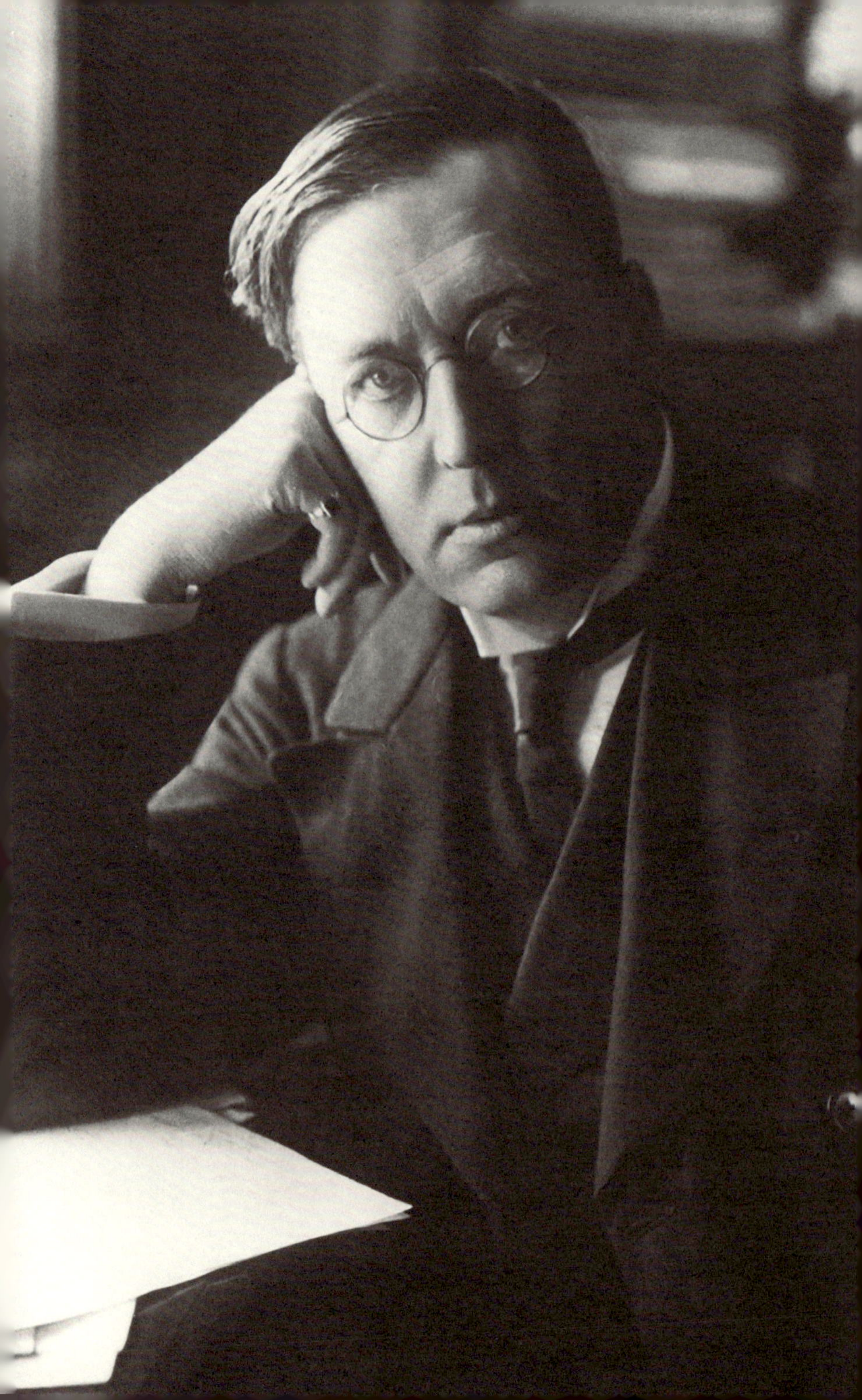

M. R. JAMES

Monty, como gostava de ser chamado M. R. James, era o quarto e mais novo filho do reitor de Livermere, o clérigo Hebert James, e de Mary Emily. Nasceu em 1862, 1º de agosto, em Goodnestone, Kent, Inglaterra. Em 1873, durante o mês de setembro, começou a estudar em Temple Grove, uma das melhores escolas da época. Mais tarde, em 1876, ingressou no Eton College e passou os seis anos seguintes lá. No King's, foi nomeado, em 1913, Vice-Reitor da Universidade. Durante esse tempo, ele se tornou uma das maiores autoridades nos livros apócrifos da Bíblia e nos manuscritos medievais ocidentais.

Foi um homem bastante conservador, e isso se estendia a suas opiniões políticas (quando as expressava) e suas atitudes para com outros escritores. Não gostava da literatura contemporânea, às vezes também criticava o trabalho de James Joyce, Lytton Strachey e Aldous Huxley. Contrário a movimentos de emancipação, James também falou contra o movimento do *Home Rule* irlandês, que clamava pela autonomia interna da Irlanda dentro do Império Britânico. Segundo A. C Benson, seu amigo, James era avesso ao progresso e à modernidade, um tipo "reacionário". Chegou a apoiar a proibição da obra mais famosa de Radclyffe Hall, *The well of loneliness*, pela temática homossexual. Entretanto, era fã das histórias de detetive de Agatha Christie e da obra de Shakespeare.

James contribuiu para muitas bibliotecas e museus durante sua carreira. Ele organizou bibliotecas da Universidade de Cambridge, em uma ordem muito sistemática. Em 1903, ele contribuiu para a *Encyclopaedia Biblica* e traduziu o Novo Testamento. No entanto, é lembrado pelas histórias de fantasmas que produzia em intervalos regulares e lia para uma plateia de amigos, geralmente em época de natal, em seus aposentos no King's, sob a luz de uma única vela. Elas foram publicadas entre 1904 e 1931.

De muitas maneiras, suas histórias de fantasmas representam um retrocesso na evolução da história de fantasmas: em uma época em que seus contemporâneos, como Henry James, estavam escrevendo contos ambíguos que tratavam o sobrenatural com ceticismo e ambiguidade (como em *A Volta do Parafuso*), M.R. James tendia a adotar uma linha menos ambígua em seu tratamento do sobrenatural. Quando um lençol se mexia de maneira suspeita em uma história, geralmente havia um fantasma (genuíno) por baixo dele.

Muitos escritores foram inspirados pelo trabalho de James e admiraram seu trabalho. Existem muitos programas de televisão que pegaram o enredo do trabalho de James, ou alguma parte dele. Seus contos também foram veiculados no rádio de 1932 a 2019. Algumas de suas obras foram utilizadas em roteiros de cinema e teatro.

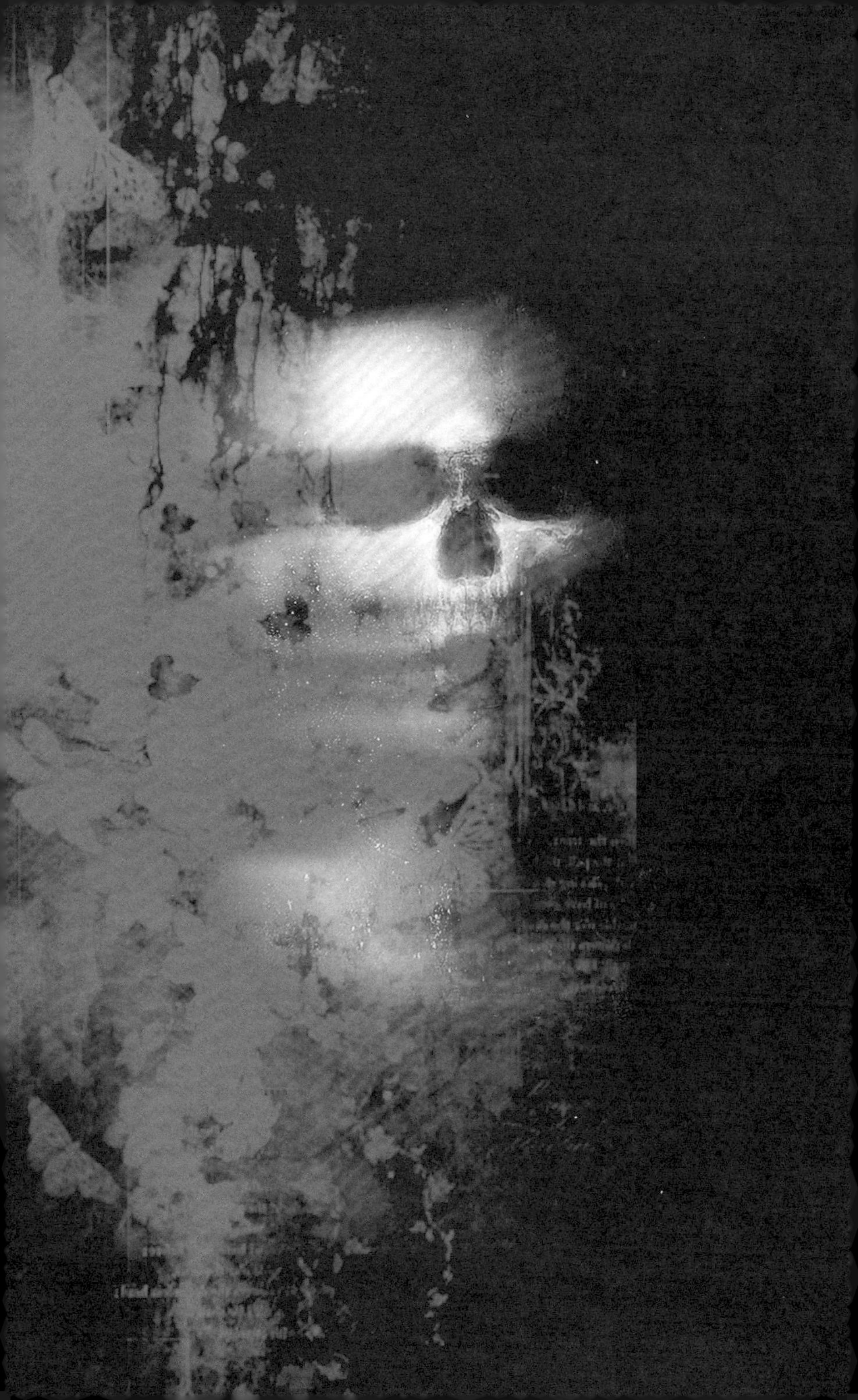

A casa de bonecas assombrada

— Suponho que o senhor tenha esse tipo de coisa em suas próprias mãos com frequência, não? — disse Sr. Dillet enquanto apontava com sua bengala para um objeto que será descrito quando chegar a hora.

Assim que disse isso, viu que mentia ao dizer, e sabia que mentia. Nem uma vez em vinte anos, talvez nem alguma vez na vida, Sr. Chittenden, hábil como era em desenterrar os tesouros esquecidos em meia dúzia de cidades, poderia esperar lidar com tal elemento exemplar. Essa era uma honra para os colecionadores, e Sr. Chittenden o reconheceu como tal.

— Coisas desse tipo, Sr. Dillet! É uma peça de museu, quero dizer.

— Bem, suponho que haja museus que aceitam qualquer coisa.

— Já vi um não tão bom assim há anos, mas não é provável que chegue ao mercado — disse Sr. Chittenden pensativamente.

— E disseram-me que eles têm alguns bons do período submerso.

Não, eu só estou contando a verdade, Sr. Dillet, quando digo que se fizesse um pedido sem limites comigo para o melhor que poderia ser obtido (e o senhor sabe que tenho facilidades para saber de tais coisas e uma reputação a manter), tudo o que posso dizer é que devo levá-lo direto até aquilo e dizer "Não posso oferecer nada melhor que isso, senhor".

— Ouçam, ouçam! — disse Sr. Dillet, aplaudindo ironicamente com a ponta da bengala no chão da loja. — Quanto o senhor está cobrando ao inocente comprador americano por isso, hein?

— Oh, não serei tão duro com o comprador, americano ou não. Veja, é assim, Sr. Dillet, se eu soubesse um pouco mais sobre a origem…

— Ou um pouco menos — acrescentou Sr. Dillet.

— Ah! ah! Você terá um momento oportuno para sua piada, senhor. Bom, como estava dizendo, se eu soubesse um pouco mais do que sei sobre a peça, embora qualquer um possa ver por si mesmo que é uma coisa genuína, até o último pedaço dela… E nenhum dos meus funcionários teve permissão para tocá-la desde que entrou na loja… Haveria outro valor no preço que estou pedindo.

— E quanto custa? Vinte e cinco?

— Multiplique isso por três e terá o valor, senhor. Meu preço é setenta e cinco.

— E cinquenta é o meu — disse Sr. Dillet.

O ponto de acordo, claro, estava em algum lugar entre os dois, não importa exatamente onde, acho que sessenta guinéus. Porém, meia hora depois, o objeto estava sendo embalado e, em uma hora, Sr. Dillet o levou para seu carro e foi embora. Sr. Chittenden, segurando o cheque na mão, acompanhou-o com um sorriso no rosto e voltou, ainda sorrindo, para a sala onde sua esposa fazia o chá.

Ele parou à porta.

— Ele se foi — disse.

— Graças a Deus por isso! — disse Sra. Chittenden, deixando o bule de lado. — Sr. Dillet, não é?

— Sim, era.

— Bem, preferia esse a outro.

— Oh, eu não sei. Ele não é um cara mau, minha querida.

— Talvez não; mas, em minha opinião, ele não ficaria pior se sofresse um pouco.

— Bem, se essa é sua opinião... É minha opinião que ele se esforçou para conseguir algo. De qualquer forma, *não* teremos mais visitas dele e devemos ser gratos por isso.

E então Sr. e Sra. Chittenden sentaram-se para tomar chá.

E o que dizer de Sr. Dillet e de sua nova aquisição? O que era, o título desta história já terá mostrado ao leitor. Como era, terei de descrever o melhor que puder.

Só havia espaço para ela no carro, e Sr. Dillet teve de sentar-se com o motorista, que também teve de ir devagar; pois, embora os quartos da Casa de Bonecas tivessem sido todos cuidadosamente preenchidos com algodão macio, era melhor evitar sacudidas, já que havia um imenso número de pequenos objetos que preenchiam o interior. A viagem de dez milhas foi um período de ansiedade para ele, apesar de todas as precauções que seguiu. Por fim, sua porta da frente foi alcançada, e Collins, o mordomo, saiu por ela.

— Veja, Collins, preciso da sua ajuda com isso, é um trabalho delicado. Devemos tirá-la na posição vertical, está vendo?

Está cheia de pequenas coisas que não devem ser deslocadas mais que o necessário. Vamos ver, onde podemos deixá-la? — Depois de uma pausa para consideração: — Realmente, acho que terei de colocá-la em meu próprio quarto, pelo menos por um tempo. Na mesa grande... É isso.

Ela foi levada, com muitas recomendações, para o espaçoso quarto de Sr. Dillet no primeiro andar, observando o caminho. O lençol foi desenrolado, a frente, exposta, e por uma ou duas horas Sr. Dillet ficou totalmente ocupado em extrair o enchimento e colocar em ordem o conteúdo dos quartos.

Quando essa tarefa totalmente agradável foi concluída, devo dizer que teria sido difícil encontrar um espécime mais perfeito e atraente de uma Casa de Bonecas Gótica em Strawberry Hill do que aquele que agora estava na grande mesa de Sr. Dillet, iluminada pelo sol da tarde, que entrava inclinado através de três altas janelas de correr.

Tinha quase um metro e oitenta de comprimento, incluindo a Capela ou Oratório que estava à frente e à esquerda, de acordo com a posição observada, e o estábulo, à direita. O bloco principal da casa era, como já disse, em estilo gótico, isto é, as janelas tinham arcos pontiagudos e eram cobertas pelos chamados ogivais, com arcos e cruzarias como os que vemos nas copas de túmulos construídos nas paredes das igrejas. Nos cantos havia torres enormes cobertas com painéis em arco. A Capela tinha pináculos, contrafortes, um sino na torre e os vidros coloridos nas janelas. Ao abrir a frente da casa, avistavam-se quatro grandes cômodos, dormitório, sala de jantar, sala de estar e cozinha, cada um com seus respectivos móveis em estado completo.

O estábulo à direita tinha dois andares, com seu complemento adequado de cavalos, carruagens, cavalariços; e junto de seu relógio e da cúpula gótica estava o sino.

As páginas, é claro, poderiam ser preenchidas com a disposição da mansão — quantas frigideiras, quantas cadeiras douradas, quantos quadros, tapetes, lustres, colunas, toalhas de mesa, vidros, louças e pratos ela possuía —, mas tudo isso deve ser deixado para a imaginação. Direi apenas que a base ou pedestal sobre a qual ficava a casa (pois era equipada com alguma profundidade que permitia um lance de escadas para a porta da frente e um terraço, parcialmente preenchido por colunas) continha uma gaveta ou algumas gavetas rasas em que estavam cuidadosamente armazenados conjuntos de cortinas bordadas, mudanças de vestimenta para os internos e, em suma, todos os materiais para uma série infinita de variações e modificações do tipo mais chamativo e encantador.

— Quintessência de Horace Walpole, é isso. Ele deve ter tido algo que ver com a fabricação. — Tal era a reflexão sussurrada de Sr. Dillet quando se ajoelhou diante dela em um reverente êxtase. — Simplesmente maravilhoso! Este sem dúvida é meu dia de sorte. Quinhentas libras chegando esta manhã por aquele armário com o qual eu nunca me importei, e agora está caindo em minhas mãos por um décimo, no máximo, do que renderia na cidade. Muito bem, muito bem! Quase dá medo de que algo aconteça para contrariar. Vamos dar uma olhada nas pessoas, de qualquer maneira.

Assim, ele as colocou diante de si em uma fila. Novamente, aqui está uma oportunidade, que alguns agarrariam, de fazer um inventário de roupas. Porém sou incapaz disso.

Havia um cavalheiro e uma senhora, em cetim azul e brocado, respectivamente. Havia duas crianças, um menino e uma menina. Havia uma cozinheira, uma enfermeira, um mordomo, os criados do estábulo, dois mensageiros, um cocheiro e dois camareiros.

— Mais alguém? Possivelmente, sim.

As cortinas da cama com dossel no quarto estavam bem fechadas em seus quatro lados, mas ele colocou o dedo entre elas e apalpou a cama. Ele puxou o dedo apressadamente, pois quase lhe parecia que algo havia não se mexido, talvez, mas respirado de uma maneira estranha e viva quando ele o pressionara. Em seguida, recolocou as cortinas, que corriam sobre os varões de maneira adequada, e retirou da cama um senhor de cabelos brancos, com uma longa camisola de linho e chapéu, e deitou-o junto aos outros. A história estava completa.

A hora do jantar estava próxima, então Sr. Dillet gastou apenas cinco minutos colocando a mulher e as crianças na sala de estar, o homem na sala de jantar, os criados na cozinha e no estábulo e o velho de volta em sua cama. Ele se retirou para o vestíbulo ao lado, e não vimos nem ouvimos mais nada até um momento por volta das onze horas da noite.

Seu capricho era dormir rodeado por algumas das joias de sua coleção. O grande aposento em que o vimos continha sua cama, um banheiro, um guarda-roupa, e todos os utensílios de vestir estavam em um cômodo ou vestíbulo ao lado, mas seu dossel, que em si era um tesouro valioso, ficava no grande quarto onde ele às vezes escrevia, frequentemente sentava e até recebia visitantes. Esta noite, ele se dirigiu até aí em um estado de espírito altamente complacente.

Não havia nenhum relógio marcante ao alcance da voz, nenhum na escada, nenhum no estábulo, nenhum na torre da distante igreja. No entanto, sem dúvida, Sr. Dillet foi arrancado de um sono muito agradável por um sino tocando à uma hora da manhã.

Ele ficou tão surpreso, que não apenas ficou sem fôlego e com os olhos arregalados, mas realmente se sentou em sua cama.

Ele nunca se havia perguntado, até a madrugada, como é que, embora não houvesse luz nenhuma no quarto, a Casa de Bonecas na mesa de encaixe se destacava com tamanha nitidez. Porém era assim. O efeito era o de uma lua cheia brilhando na frente de uma grande mansão de pedra branca, talvez a quatrocentos metros de distância, mas todos os detalhes eram fotograficamente nítidos. Também havia árvores ao redor, árvores que se erguiam atrás da capela e da casa. Ele parecia estar consciente do cheiro de uma noite fria de setembro. Achou que podia ouvir ocasionalmente batidas e movimentos nos estábulos, como cavalos mexendo-se. E, com outro choque, percebeu que, acima da casa, ele não olhava para a parede de seu quarto com suas fotos, mas para o profundo azul de um céu noturno.

Havia luzes, mais de uma, nas janelas, e ele rapidamente viu que esta não era uma casa de quatro cômodos com uma frente móvel, mas uma de muitos cômodos e escadas. Era uma casa de verdade, mas vista como se estivesse do lado oposto de um telescópio.

— Você quer me mostrar uma coisa — murmurou a si mesmo.

Logo olhou fixamente para as janelas iluminadas. Elas teriam, na vida real, venezianas ou cortinas, sem dúvida, ele pensou; mas, da maneira em que estavam, não havia nada para deter sua visão do que ocorria dentro dos quartos.

Dois cômodos foram iluminados, um no andar térreo, à direita da porta, e um no andar de cima, à esquerda. O primeiro com bastante intensidade, e o outro um tanto obscuramente. O aposento inferior era a sala de jantar. Uma mesa tinha sido posta, mas a refeição já tinha acabado, e apenas o vinho e as taças ficaram sobre a mesa. O homem de cetim azul e a mulher de brocado estavam sozinhos na sala e falavam com muita seriedade, sentados juntos à mesa com os cotovelos apoiados nela.

De vez em quando, paravam para escutar, ao que parecia. Em certo momento, *ele* se levantou, foi até a janela, abriu-a, colocou a cabeça para fora e a mão na orelha. Havia uma vela acesa em um castiçal de prata num aparador. Quando o homem saiu da janela, pareceu sair da sala também; e a senhora, com a vela na mão, permaneceu parada e ouvindo. A expressão em seu rosto era a de alguém que se esforçava ao máximo para conter um medo que ameaçava dominá-la e parecia conseguir. Era um rosto desagradável também; amplo, plano e astuto.

O homem voltou, e ela pegou uma pequena coisa sua e logo se retirou correndo da sala. Ele também sumiu, mas apenas por um ou dois minutos. A porta da frente se abriu lentamente, ele saiu e parou no topo do *perron*, olhando para um lado e para o outro; em seguida virou-se para a janela superior que estava iluminada e sacudiu o punho.

Era o momento de olhar para a janela superior. Através dela foi vista uma cama de quatro colunas. Uma enfermeira ou outro criado em uma poltrona, evidentemente em sono profundo. Na cama, um velho deitado, acordado e pode se dizer ansioso, pela maneira como se mexia e mexia os dedos, batendo ordenadamente na colcha. Além da cama, havia uma porta aberta. Via-se uma luz no teto, e a senhora logo entrou, apoiou a vela sobre a mesa, aproximou-se da lareira e despertou a enfermeira. Em sua mão havia uma garrafa de vinho antiga, aberta e sem rolha. A enfermeira pegou-a, despejou um pouco do conteúdo em uma pequena panela de prata, acrescentou um pouco de tempero e açúcar do pote que estava sobre a mesa e colocou-a para aquecer no fogo.

Enquanto isso, o velho na cama acenou debilmente para a mulher, que se aproximou dele sorrindo, segurou seu pulso como se quisesse sentir sua pulsação e mordeu o lábio como se estivesse consternada. Ele olhou para ela ansiosamente, apontou para a janela e disse algo. Ela assentiu com a cabeça e fez como o homem abaixo havia feito; abriu a janela e ouviu, talvez com bastante atenção. Em seguida, afastou-se e sacudiu a cabeça olhando para o velho, que parecia suspirar.

A essa altura, a mistura no fogo fervia; a enfermeira a despejou em uma pequena tigela de prata com duas alças e a levou para a cabeceira da cama. O velho parecia um pouco indisposto ao beber aquilo e apontava para longe, mas a senhora e a enfermeira juntas se curvaram sobre ele, e evidentemente o pressionaram. Ele deve ter se rendido, pois elas o colocaram sentado e levaram a bebida a seus lábios. Ele bebeu a maior parte, em diversos goles, e elas o deitaram. A mulher saiu da sala com um sorriso de boa-noite para ele, levando consigo a tigela, a garrafa e a panela de prata. A enfermeira voltou para a cadeira e houve um intervalo de silêncio absoluto.

De repente, o velho começou a se levantar em sua cama, e ele deve ter gritado, pois a enfermeira saltou de sua cadeira e deu apenas um passo para o lado da cama. Ele era uma imagem triste e terrível, o rosto corado, quase em uma cor escura, os olhos brancos brilhando, as duas mãos segurando o coração, e tinha espuma nos lábios.

Por um momento, a enfermeira o deixou, correu para a porta, escancarou-a e, supõe-se, gritou em voz alta por socorro, depois voltou para a cama e parecia tentar febrilmente acalmá-lo, deitá-lo ou qualquer coisa. Porém, quando a senhora, seu marido e vários criados correram para o quarto com rostos horrorizados, o velho deslizou das mãos da enfermeira e deitou-se. As feições, contorcidas de agonia e violência, relaxaram lentamente até ficarem calmas.

Alguns momentos depois, as luzes se acenderam do lado esquerdo da casa, e uma carruagem iluminada com tochas aproximou-se da porta. Um homem de peruca branca e preta saiu com agilidade e subiu correndo os degraus, carregando uma pequena caixa de couro em forma de baú. Ele foi recebido na porta pelo homem e sua esposa; ela com o lenço entre as mãos, ele com uma face trágica, mas mantendo o autocontrole. Eles conduziram o recém-chegado à sala de jantar, onde apoiou a caixa de papéis sobre a mesa e, voltando-se para eles, ouviu com uma expressão consternada o que tinham para contar.

Ele balançou a cabeça repetidas vezes, estendeu ligeiramente as mãos; recusou, ao que parecia, as ofertas de refresco e alojamento para a noite; e em poucos minutos desceu lentamente os degraus, entrou na carruagem e partiu pelo caminho de onde viera. Enquanto o homem de azul o observava do alto da escada, um sorriso nada agradável apareceu lentamente em seu rosto rechonchudo e branco. A escuridão caiu sobre a cena inteira enquanto as luzes da carroça desapareciam.

Porém Sr. Dillet permaneceu sentado na cama. Ele havia acertadamente adivinhado que haveria uma sequência. A frente da casa se iluminou novamente em pouco tempo. Agora, no entanto, havia uma diferença. As luzes estavam em outras janelas, uma no alto da casa, a outra iluminando as várias janelas coloridas da capela. Não é muito óbvio como ele percebeu isso, mas ele o fez. O interior era tão cuidadosamente decorado quanto o resto do local, com suas pequenas almofadas vermelhas sobre os pedestais, suas cadeiras góticas para o coro, sua ala oeste e o órgão com tubos de ouro. No centro do pavimento preto e branco, havia um caixão e quatro velas altas queimadas nas pontas. O caixão estava coberto por uma mortalha de veludo preto.

Enquanto ele olhava, as dobras da mortalha se moveram. Pareceu levantar-se em uma extremidade, deslizar para baixo, e assim caiu afastada, expondo o caixão preto com seus cantos e placa de identificação feita em prata. Um dos castiçais altos balançou e caiu. Não pergunte mais nada, mas vire-se, como fez Sr. Dillet apressadamente, e olhe para a janela iluminada no topo da casa, onde o menino e a menina estavam em duas camas de rodízio e onde um dossel para a enfermeira erguia-se acima deles.

A enfermeira não estava visível no momento, mas o pai e a mãe estavam lá, agora vestidos de luto, porém com muito poucos sinais de luto em seu comportamento. Na verdade, eles riam e conversavam animadamente, às vezes uns com os outros, às vezes fazendo um comentário para uma ou outra das crianças, e novamente riam das respostas.

Então o pai foi visto saindo na ponta dos pés para fora do quarto, levando consigo um casaco branco que estava pendurado em um pino perto da porta. Ele fechou a porta atrás de si. Um ou dois minutos depois, ela foi aberta lentamente de novo, e uma cabeça coberta apareceu. Uma forma curvada de modo sinistro caminhou até as camas e de repente parou, ergueu os braços e revelou, é claro, o pai rindo.

As crianças estavam agoniadas e aterrorizadas, o menino com a roupa de cama sobre a cabeça e a menina jogando-se para fora da cama nos braços da mãe. Seguiram-se tentativas de consolo, os pais pegaram os filhos no colo, deram tapinhas neles, pegaram o vestido branco e mostraram que não havia mal nele, e assim por diante. Finalmente, colocando as crianças de volta na cama, saíram do quarto com acenos encorajadores feitos com a mão. Assim que saíram, a enfermeira entrou e logo a luz foi apagada.

Ainda assim, Sr. Dillet observava imóvel.

Uma nova ponta de luz, não de lâmpada ou vela, mas uma luz pálida e feia, começou a despontar ao redor da soleira da porta no fundo do quarto. A porta se abria outra vez. O observador não gosta de pensar no que viu entrar no quarto. Ele diz que pode ser descrito como um sapo, do tamanho de um homem, mas tinha uns poucos pelos brancos na cabeça. Esteve ocupado com as camas, mas não por muito tempo. O som fraco de gritos, como se vindo de uma grande distância, mas, mesmo assim, infinitamente assustador, chegava a seu ouvido.

Havia sinais de uma comoção horrível por toda a casa, as luzes se moviam e aumentavam, as portas se abriam e fechavam, e vultos passavam correndo pelas janelas. O relógio na torre do estábulo marcou o número um, e a escuridão apareceu novamente.

Aquilo foi disperso mais uma vez para mostrar a fachada da casa. Na parte inferior das escadas, figuras escuras foram dispostas em duas linhas, segurando tochas acesas. Mais figuras escuras desceram os degraus, carregando primeiro um e depois outro pequeno caixão. E as filas de carregadores de tochas com os caixões avançavam silenciosamente para a esquerda.

As horas da noite passaram — "Nunca tão lentamente", pensou o Sr. Dillet.

Aos poucos, ele mudou de posição na cama, de sentado para deitado, mas não fechou os olhos, e na manhã seguinte mandou chamar um médico.

O médico o encontrou em um estado de nervosismo inquietante e recomendou a brisa do mar. Ele se dirigiu para um lugar tranquilo na Costa Leste em seu carro.

Uma das primeiras pessoas que encontrou no litoral foi o Sr. Chittenden, que, ao que parecia, também havia sido aconselhado a levar sua esposa para uma pequena mudança.

Sr. Chittenden olhou para ele com certa desconfiança quando se encontraram, e não sem motivo.

— Bem, não me admira que esteja um pouco desapontado, Sr. Dillet. Não? Sim… Bem, posso dizer que eu estou muito desapontado, com certeza, vendo o que minha pobre esposa e eu passamos sozinhos. Mas digo, Sr. Dillet, uma de duas coisas. Ou eu me desfaria de uma peça adorável como aquela, ou diria aos clientes que estava vendendo uma casa de bonecas dramática de tempos antigos, programada para funcionar regularmente à uma da manhã? O que o senhor teria dito? E a próxima coisa que o senhor sabe, há dois juízes na sala dos fundos que levaram o Sr. e a Sra. Chittenden em uma carreta para o hospital da cidade, todos na rua dizendo "Ah, imaginei que chegaria a esse ponto. Veja como o homem bebeu!". E eu na porta ao lado, ou na porta mais próxima, mas em alguma. Isso, um completo abstêmio como o senhor sabe. Bem, essa era minha posição. Não? Eu a tenho de volta na loja? Bem, o que o *senhor* acha? Não, mas vou dizer o que penso em fazer. O senhor terá seu dinheiro de volta, exceto as dez libras que paguei por ela, e ganhará o que conseguir.

Mais tarde naquele dia, no que é ofensivamente chamado de "sala de fumo" do hotel, uma conversa murmurada entre os dois continuou por algum tempo.

— Quanto o senhor realmente sabe sobre essa coisa e de onde veio?

— Honestamente, Sr. Dillet, não conheço a casa. Claro, saiu do quarto de bagunças de uma casa rural. Isso qualquer um poderia adivinhar. Vou longe demais ao dizer isto, mas creio que não está a cem milhas deste lugar. Não tenho noção de qual direção e de qual distância. Estou apenas julgando por suposições. O homem de quem realmente comprei não é um dos meus homens regulares, e o perdi de vista. Porém tenho a impressão de que esta parte do país era onde morava. Isso é tudo que posso dizer. Mas agora, Sr. Dillet, há uma coisa que me incomoda bastante. Aquele senhor… Suponho que o viu dirigir-se até a porta, não? Eu penso agora se ele teria sido o médico, o senhor entende? Minha esposa disse que sim, mas insisti que era o advogado, porque ele tinha papéis consigo, e um que ele tirou estava dobrado.

— Eu concordo — disse Sr. Dillet. — Pensando bem, cheguei à conclusão de que era o testamento do senhor, pronto para ser assinado.

— Exatamente o que pensei, e achei que teria eliminado os jovens, hein? — disse Sr. Chittenden. — Muito bem, muito bem! Foi uma lição para mim, eu sei disso. Não comprarei mais casas de bonecas, nem desperdiçarei mais dinheiro com imagens. E, quanto a esse negócio de envenenar um vovô, bem, se me conheço, nunca dei muita importância a isso. Viva e deixe viver: esse é meu lema ao longo da vida, e nunca o achei ruim.

Cheio desses sentimentos elevados, Sr. Chittenden retirou-se para seus aposentos. No dia seguinte, Sr. Dillet dirigiu-se ao instituto local, onde esperava encontrar alguma pista para o enigma que o consumia. Ele olhou em desespero para um longo arquivo das publicações da Sociedade de Canterbury e York dos Registros Paroquiais do distrito. Nenhuma gravura que lembrasse a casa de seu pesadelo se encontrava entre as que estavam penduradas na escada e nos corredores. Desconsolado, ele finalmente se viu em uma sala abandonada, olhando para um modelo empoeirado de uma igreja em uma caixa de vidro empoeirada:

> *Modelo da Igreja de Santo Estêvão, Coxham. Apresentado por J. Merewether, Cavalheiro da Mansão Ilbridge, 1877. O trabalho de seu ancestral James Merewether, d. 1786.*

Havia algo no estilo que o lembrava vagamente de seu horror. Ele refez seus passos até um mapa de parede que havia notado e percebeu que a Mansão Ilbridge ficava em Coxham Parish.

Coxham era, por acaso, uma das paróquias cujo nome ele manteve quando olhou o arquivo de registros impressos, e não demorou muito para que encontrasse neles o registro do enterro de Roger Milford, de setenta e seis anos, em 11 de setembro de 1757, e de Roger e Elizabeth Merewether, de nove e de sete anos, no dia 19 do mesmo mês.

Pareceu valer a pena seguir essa pista, por mais frágil que fosse, e à tarde ele se dirigiu até Coxham. A extremidade leste do corredor norte da igreja é uma capela Milford, e em sua parede norte há placas das mesmas pessoas. Roger, o mais velho, ao que parece, se distinguia por todas as qualidades que o adornavam:

> *O Pai, o Magistrado e o Homem*

O memorial foi erguido por sua filha Elizabeth, que:

> *Não sobreviveu por muito tempo à perda de um pai sempre solícito por seu bem-estar e de dois filhos amáveis.*

A última frase foi claramente um acréscimo à inscrição original.

Uma placa ainda posterior falava de James Merewether, marido de Elizabeth:

> *Aquele que na aurora da vida praticou, não sem sucesso, aquelas artes que, se tivesse continuado seu exercício, poderiam, na opinião dos juízes mais competentes, ter obtido para ele o nome de Vitrúvio Britânico. Porém, oprimi-*

> *do pela visitação que o privou de um afetuoso parceiro e de uma florescente progênie, passou sua nobreza em uma isolada mas elegante aposentadoria. Seu agradecido sobrinho e herdeiro entrega-se a uma tristeza piedosa por este breve relato de suas excelências.*

As crianças foram mencionadas de forma mais simples. Ambas morreram na noite de 12 de setembro.

Sr. Dillet tinha certeza de que na Mansão Ilbridge havia encontrado o cenário de seu drama. Em algum caderno de esboços antigo, possivelmente em alguma impressão antiga, ele ainda foi capaz encontrar evidências convincentes de que estava certo. Porém a Mansão Ilbridge de hoje não é aquela que ele procurava, mas uma construção elisabetana dos anos 40, em tijolo vermelho com colunas de pedra e enfeites. A quatrocentos metros dali, em uma parte baixa do parque, cercada por árvores antigas, grandes, que marcavam a densa vegetação rasteira, estão as marcas de uma plataforma em terraço coberta de grama áspera. Alguns pilares de pedra estão aqui e ali, e uma pilha ou duas, cobertas de urtigas e vegetação, de pedras trabalhadas com detalhes mal esculpidos. Isso, alguém disse a Sr. Dillet, era o local de uma antiga casa.

Enquanto ele dirigia para fora da vila, o relógio da mansão bateu quatro horas, e assim Sr. Dillet deu a partida ao colocar as mãos nos ouvidos. Não era a primeira vez que ouvia aquele sino.

Esperando uma oferta do outro lado do Atlântico, a casa de bonecas ainda repousa, cuidadosamente coberta, em um sótão sobre os estábulos de Sr. Dillet, para onde Collins a levou no dia em que Sr. Dillet partiu para o litoral.

[Pode-se dizer, talvez, e não injustamente, que isso não passa de uma variação de uma história anterior feita por mim chamada "O Mezzotint". Posso apenas esperar que haja variação suficiente na configuração para fazer tolerável a repetição do *assunto*.]

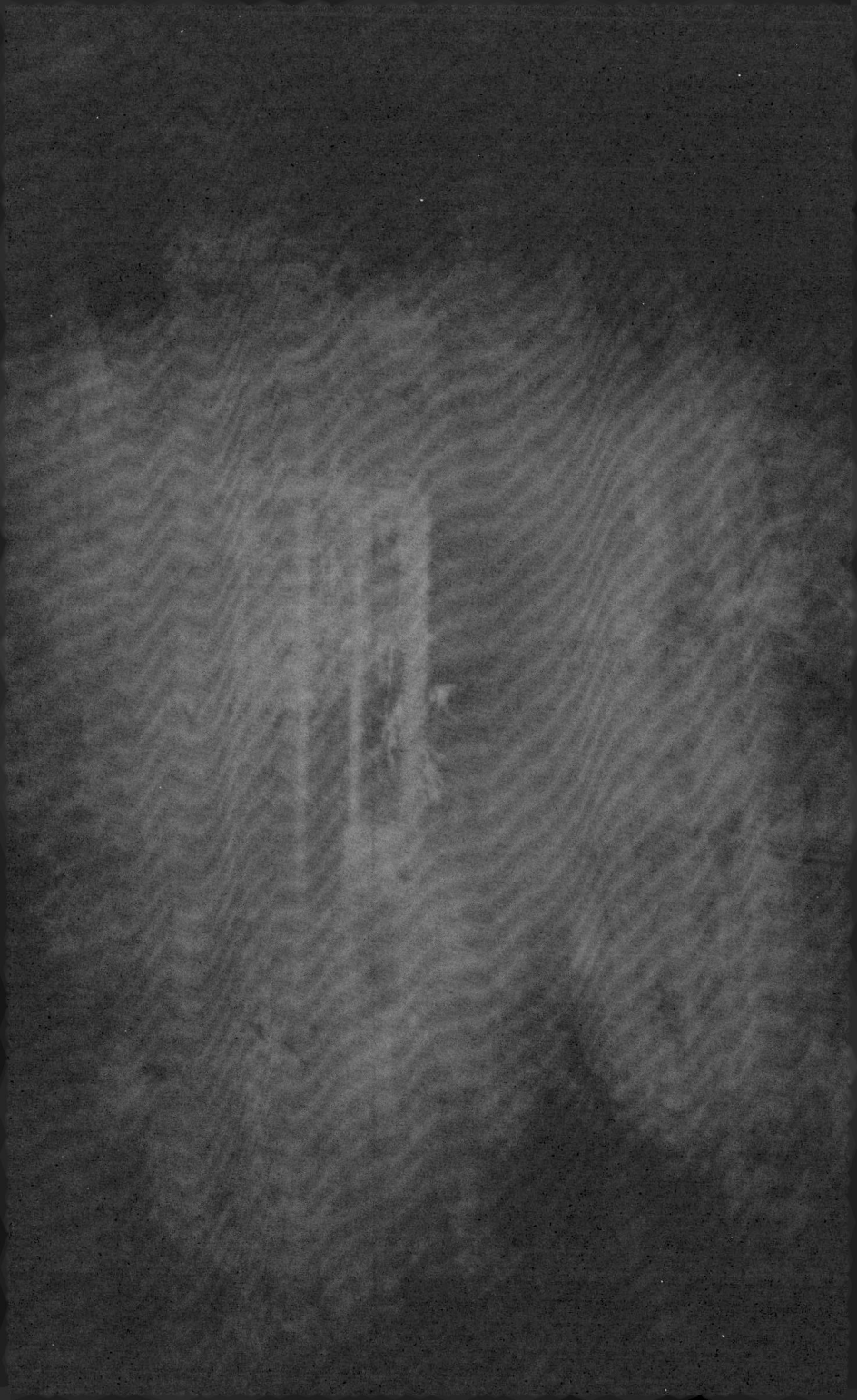

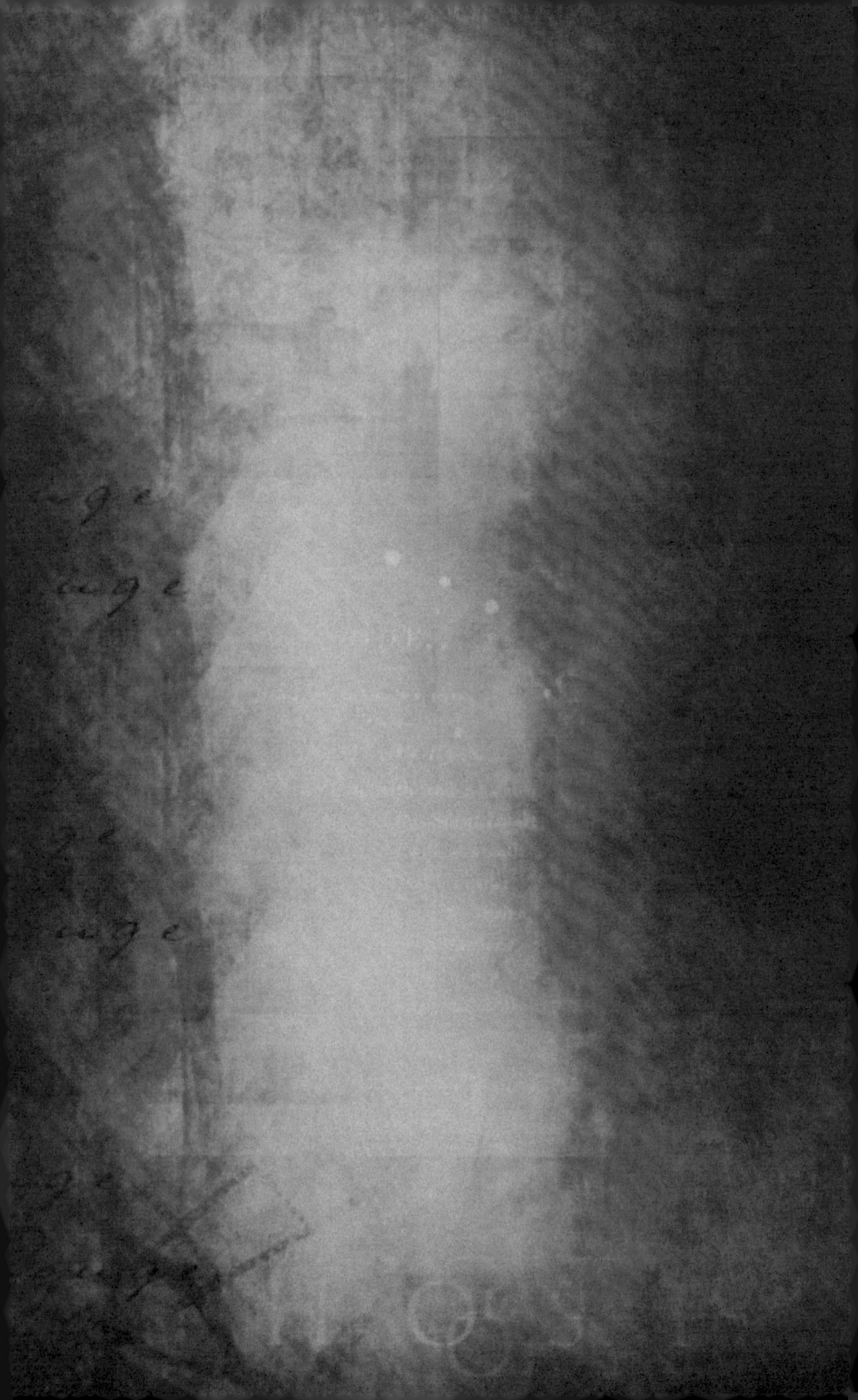

O LIVRO DE ORAÇÕES INCOMUM

1

Sr. Davidson passava a primeira semana de janeiro sozinho em uma cidade do interior. Uma combinação de circunstâncias o levara a esse drástico percurso. Seus parentes mais próximos desfrutavam de esportes de inverno no exterior, e os amigos, que estiveram ansiosos para substituí-los, tinham uma doença infecciosa em casa. Sem dúvida, ele poderia ter encontrado outra pessoa para ter piedade para com ele. "Porém a maioria deles fez suas festas e, afinal, apenas por três ou quatro dias no máximo que eu terei de me defender sozinho", refletiu. "Além disso, será muito bom se eu for capaz de prosseguir com minha introdução aos Documentos de Leventhorp. Posso usar o tempo aproximando-me o máximo possível de Gaulsford e conhecer as redondezas. Devo ver as ruínas da Mansão Leventhorp e os túmulos na igreja."

O primeiro dia após sua chegada ao Hotel Swan em Longbridge foi tão chuvoso que ele não passou da tabacaria. O dia seguinte, relativamente brilhante, ele usou para sua visita a Gaulsford, que o interessou um pouco, mas não teve consequências posteriores. O terceiro, que na verdade foi um ótimo dia para o início de janeiro, era bom demais para ser gasto em lugares fechados.

Ele deduziu do proprietário que uma prática favorita dos visitantes no verão era pegar um trem matinal para algumas estações a oeste e descer o Vale Tent, passando por Stanford St. Thomas e Stanford Magdalene, ambas consideradas vilas altamente curiosas. Ele seguiu com esse plano, e agora o encontramos sentado em um vagão de terceira classe, às quinze para as dez, a caminho de Kingsbourne Junction, estudando o mapa do distrito.

Um velho senhor era seu único companheiro de viagem, um homem muito velho que parecia disposto a conversar. Então, depois de passar pelas perguntas e respostas necessárias sobre o tempo, Sr. Davidson perguntou se ele ia para longe.

— Não, senhor, não muito; não esta manhã, senhor — respondeu o velho. — Vou apenas tão longe quanto o chamado Kingsbourne Junction. Não há senão duas estações entre aqui e ali. Sim, eles o chamam de Kingsbourne Junction.

— Eu também vou até lá — disse Sr. Davidson.

— Ah! Verdade, senhor? Conhece esse local?

— Não, só estou disposto a dar um passeio ao redor de Longbridge e conhecer um pouco da região.

— Ah, de fato, senhor! Bem, hoje é um lindo dia para um cavalheiro que gosta de dar um passeio.

— Sim, com certeza. O senhor deve ir muito longe quando chegar a Kingsbourne?

— Não, senhor, não preciso ir muito longe assim que chegar a Kingsbourne Junction. Vou para encontrar minha filha, senhor. Ela vive em Brockstone. Isso é cerca de duas milhas cruzando os campos do que eles chamam de Kingsbourne Junction. É isso. Suponho que tenha anotado isso em seu mapa, senhor.

— Suponho que sim. Deixe-me ver... O senhor disse Brockstone? Aqui está Kingsbourne, sim. E em que direção fica Brockstone... Na direção de Stanfords? Ah, estou vendo. Área Brockstone, em um parque, mas não vejo a vila.

— Não, senhor, não é possível ver nenhuma vila de Brockstone. Existe apenas o pátio e a capela em Brockstone.

— Capela? Ah, sim, isso está marcado aqui também. A capela está perto do pátio, ao que parece. Pertence ao pátio?

— Sim, senhor, é perto do pátio, apenas um passo. Sim, na verdade pertence ao pátio. Veja, senhor, minha filha é a esposa do oficial agora, mora no local e cuida das coisas agora que a família está longe.

— Ninguém mora lá agora, então?

— Não, senhor, há alguns anos. Um velho senhor e uma senhora moraram lá quando eu era menino, e a senhora viveu depois dele até quase os noventa anos de idade. E então ela morreu. Os que estão lá agora têm esse outro lugar, em Warwickshire, creio que seja, e não fazem nada para deixar expandir o pátio. Porém o Coronel Wildman anda armado; o jovem Sr. Clark, o agente, vem de vez em quando para cuidar das coisas; e o marido da minha filha é o oficial.

— E quem usa a capela? Suponho que apenas as pessoas ao redor.

— Ah, não, ninguém usa a capela. Ora, não há ninguém para ir até lá. Todas as pessoas por perto vão à igreja de Stanford St. Thomas, mas meu genro vai para a igreja Kingsbourne agora, porque lá está sempre o cavalheiro de Stanford, esse Gregory que vive cantando, e meu genro não gosta disso. Ele disse que pode ouvir o velho idiota zurrando em qualquer dia da semana e que ele gosta de algo um pouco mais alegre no domingo. — O velho cobriu a boca com a mão e riu. — Isso é o que meu genro disse... Ele diz que pode ouvir o velho idiota... — *da capo*.

Sr. Davidson também riu o mais honestamente que pôde, pensando, entretanto, que provavelmente valeria a pena incluir em sua caminhada o Pátio e a Capela de Brockstone, pois o mapa mostrava que de Brockstone ele poderia atingir o Vale Tent facilmente seguindo a estrada principal Kingsbourne-Longbridge.

Assim, quando a alegria provocada pela lembrança do genro *bon mot* diminuiu, ele voltou ao assunto e teve certeza de que tanto o pátio quanto a capela eram da classe conhecida como "lugares antiquados", que o velho estaria muito disposto a levá-lo até lá e sua filha ficaria feliz em mostrar-lhe tudo o que pudesse.

— Mas isso não é muito, senhor, não como se a família morasse lá. Todos os vidros estão cobertos e pintados, as cortinas e os tapetes, dobrados. Porém, atrevo-me a dizer que ela poderia mostrar-lhe alguns poucos apenas para observar, porque deu uma olhada neles para ver se não havia muita poeira.

— Não me importo com isso, obrigado. Se ela puder mostrar-me o interior da capela... É o que eu mais gostaria de ver.

— Ah, ela pode mostrar isso com certeza, senhor. Veja, ela tem a chave da porta, e na maioria das semanas ela entra para tirar a poeira. É uma bela capela, com certeza. Meu genro disse que vai certificar-se de que não haveria nenhum Gregory cantando por lá. Nossa! Não posso deixar de sorrir quando penso nele dizendo aquilo sobre o velho idiota. "Posso ouvi-lo zurrar em qualquer dia da semana", diz ele, e pode mesmo, senhor; isso é verdade, de qualquer maneira.

A caminhada pelos campos de Kingsbourne a Brockstone foi muito agradável. Situava-se em sua maior parte no topo da região e comandava amplas vistas sobre uma sucessão de serras, campos e pastagens, ou cobertas com bosques azuis-escuros, todos terminando, mais ou menos de repente, à direita, em colinas que dominavam o amplo vale de um grande rio a oeste. O último campo que cruzaram era delimitado por um bosque fechado, e, assim que entraram nele, o caminho virou para baixo muito abruptamente, e tornou-se evidente que Brockstone estava perfeitamente encaixada em um abrupto e muito estreito vale.

Não demorou muito para que eles tivessem vislumbres de grupos de chaminés de pedra sem fumaça e telhados de pedra bem perto de seus pés. Não muitos minutos depois disso, eles limpavam os sapatos na porta dos fundos do Pátio de Brockstone, enquanto os cães do oficial latiam muito alto de algum lugar difícil de ver. Sra. Porter, em rápida sucessão, gritou para que eles ficassem quietos, cumprimentou seu pai e convidou ambos os visitantes para entrar.

2

Não era de se esperar que Sr. Davidson escapasse de ser levado pelas salas principais da construção, ainda que o local estivesse totalmente fora de serviço. Quadros, tapetes, cortinas, móveis, tudo coberto ou guardado, como o velho Sr. Avery havia dito. A admiração que nosso amigo estava pronto para conceder teve de ser esbanjada diante das proporções dos quartos e do teto pintado, sobre o qual um artista que fugiu de Londres no ano da peste pintou o *Triunfo da lealdade e derrota da revolta*. Sr. Davidson foi capaz de mostrar um interesse sincero com relação a isso. Os retratos de Cromwell, Ireton, Bradshaw, Peters e os demais, contorcendo-se em tormentos cuidadosamente planejados, eram evidentemente a parte do projeto à qual a maioria dos esforços foi direcionada.

— Aquilo foi a velha Senhora Sadleir quem mandou pintar; foi ela que pediu para erguer a capela. Dizem que ela foi a primeira a ir a Londres para dançar no túmulo de Oliver Cromwell — disse então Sr. Avery, e continuou pensativo. — Bem, suponho que ela tenha alguma satisfação em sua mente, mas não sei se eu desejaria pagar a passagem para ir até Londres e voltar apenas por isso, e meu genro diz o mesmo. Ele diz que não sabe como ela poderia ter-se importado em gastar todo aquele dinheiro só por isso. Eu estava contando ao cavalheiro enquanto estávamos no trem, Mary, o que seu Harry diz sobre esse Gregory de Stanford cantando aqui. Nós rimos um pouco disso, não é, senhor?

— Sim, com certeza. Ah! ah! — Mais uma vez, Sr. Davidson se esforçou para estar de acordo com a gentileza do velho, mas logo completou: — Porém, caso a Sra. Porter possa mostrar-me a capela… Creio que poderia ser agora, pois os dias não são longos, e quero voltar para Longbridge antes que fique totalmente escuro.

Mesmo que o Pátio de Brockstone não tenha sido ilustrado em *A Vida Rural* (e acho que não foi), não proponho apontar suas excelências aqui, mas sobre a capela uma palavra deve ser dita. Fica a cerca de cem jardas da casa, tem um pequeno cemitério próprio e árvores ao redor. É um edifício de pedra com cerca de setenta pés de comprimento e em estilo gótico, como se entendia esse estilo em meados do século XVII. Em geral, lembra algumas das capelas da faculdade de Oxford tanto quanto qualquer outra coisa, exceto que tem um distinto presbitério, como uma casa paroquial, e um campanário com uma interessante cúpula no ângulo sudoeste.

Quando a porta oeste foi aberta, Sr. Davidson não foi capaz de reprimir uma exclamação de surpresa satisfeita com a integridade e riqueza do interior. Painel, púlpito, assentos e vidros, todos eram do mesmo período; e, quando avançou para a ala central e avistou o órgão com seus tubos dourados em relevo na galeria oeste, sua satisfação foi extrema. O vidro das janelas da ala central era principalmente em vitral, e no presbitério havia imagens de personagens do tipo que podem ser vistas na Abadia Dore, da obra de Lorde Scudamore.

No entanto, esta não é uma revisão arqueológica.

Enquanto Sr. Davidson ainda estava ocupado examinando as ruínas do órgão (atribuído a um dos Dallams, creio), o velho Sr. Avery tropeçara no presbitério ao levantar os panos empoeirados das almofadas de veludo azul da ala do coro. Evidentemente, era aqui que a família se sentava.

Sr. Davidson o ouviu dizer em um tom um tanto abafado de surpresa:

— Ora, Mary, aqui todos os livros estão abertos!

A resposta foi em uma voz que soou irritada em vez de surpresa.

— Oh... B-b-bem ali... Jamais!

Sra. Porter foi até onde estava seu pai, e eles continuaram a conversar em tom baixo. Sr. Davidson percebeu claramente que algo não muito comum estava em discussão, então desceu as escadas da galeria e juntou-se a eles. Não havia sinais de desordem no presbitério, assim como no resto da capela, que estava maravilhosamente limpa, mas os oito livros de orações sobre as almofadas dos pedestais estavam, sem dúvida, abertos.

Sra. Porter estava propensa a ficar preocupada com isso ao perguntar:

— Quem pode ter feito isso? Pois não há chave senão a minha, nem porta senão aquela por onde entramos, e as janelas estão trancadas, todas elas. Eu não gosto disso, pai, não gosto.

— O que foi, Sra. Porter? Algo errado? — perguntou Sr. Davidson.

— Não, senhor, nada realmente errado, apenas esses livros. Toda vez, muito perto de quando venho arrumar esse local, eu os fecho e estendo os panos sobre eles para não deixá-los cobertos de poeira, e o faço desde que Sr. Clark falou sobre isso logo que estive aqui pela primeira vez. E, no entanto, lá estão eles de novo, e sempre na mesma página… E, como eu disse, quem quer que seja, o faz com a porta e as janelas fechadas. E, como disse, qualquer um fica esquisito ao vir aqui sozinho, como tenho de fazer; não porque é assim apenas para mim, porque não me assusto facilmente, quero dizer. E não há um rato nesse local… Até porque nenhum rato se preocuparia em fazer algo assim, o senhor não acha?

— Dificilmente, devo dizer, mas parece muito estranho. Eles estão sempre abertos na mesma página, a senhora disse?

— Sempre na mesma página, senhor, em um dos salmos que há nele. Eu não notei em particular na primeira ou nas duas primeiras vezes, até que vi uma pequena linha vermelha impressa, e ela sempre chamou minha atenção desde então.

Sr. Davidson caminhou ao longo da ala do coro e observou os livros abertos. Com certeza, todos eles estavam na mesma página, Salmo 109; e no início dele, apenas entre o número e o *Deus laudum*, estava uma rubrica:

Para o dia 25 de abril.

Sem fingir que conhecia minuciosamente a história de um *Livro de Oração Comum*, ele sabia o suficiente para ter certeza de que era uma adição muito estranha e totalmente ilícita ao texto, e, embora se lembrasse de que 25 de abril é dia de São Marcos, ele não conseguia imaginar a adequação que esse salmo tão selvagem poderia ter para aquele dia festivo.

Com ligeiro receio, aventurou-se a virar as folhas para examinar a página inicial e, sabendo da necessidade de uma precisão especial em tais assuntos, dedicou cerca de dez minutos para fazer uma transcrição linha por linha. A data era 1653. O impressor se chamava Anthony Cadman. Ele consultou a lista de salmos apropriados para certos dias, e, sim, adicionado a ele estava a mesma inexplicável entrada:

Para o dia 25 de abril: Salmo 109.

Um especialista sem dúvida teria pensado em muitos outros pontos que investigar, mas esse antiquário, como já disse, não era especialista. Ele avaliou, no entanto, a encadernação, um belo exemplar trabalhado em couro azul como as almofadas que estavam presentes em várias das janelas da ala central em várias combinações.

E por fim perguntou à Sra. Porter:

— Quantas vezes a senhora encontrou esses livros abertos assim?

— Realmente não sei dizer, senhor, mas foram muitas vezes. O senhor se lembra, pai, se lhe contei sobre isso ao notar pela primeira vez?

— Sim, minha querida. Você tinha um raro comportamento, e não gostei muito disso. Foi há cinco anos, eu estava-lhe fazendo uma visita na época da Festa de São Miguel Arcanjo, e na hora do chá você disse: "Pai, ali estão os livros abertos sob os panos". E eu não sabia do que minha filha falava; entende, senhor? E eu perguntei: "Livros?"; algo assim, quero dizer. E então tudo foi revelado. Mas, como diz Harry (é esse meu genro, senhor), "Quem quer que seja, porque não há apenas uma porta e mantemos a chave trancada", ele diz, "e as janelas estão bloqueadas, cada uma delas". "Bem, estou preparado para pegá-los uma vez, e eles não fariam uma segunda", disse ele. E não mais fariam, eu não acredito, senhor. Bem, isso foi há cinco anos, e tem sido constante desde então, de acordo com seus cálculos, minha querida. O jovem Sr. Clark não parece pensar muito nisso, mas também porque ele não vive aqui, o senhor vê, e não é seu dever vir e limpar aqui durante uma tarde escura, não é?

— Suponho que nunca tenha reparado em mais nada estranho ao trabalhar aqui, Sra. Porter? — perguntou Sr. Davidson.

— Não, senhor, eu não — respondeu Sra. Porter. — E é uma coisa engraçada para mim na verdade, pois tenho a sensação de que há alguém sentado aqui... Não, apenas do outro lado dentro da imagem... E olhando para mim o tempo todo enquanto tiro o pó da galeria e dos bancos. Mas nunca vi nada pior do que eu mesma, como diz o ditado, e espero gentilmente nunca ver.

3

Na conversa que seguiu, que não foi muito longa, nada foi acrescentado à exposição do caso. Tendo-se despedido em boas relações de Sr. Avery e sua filha, Sr. Davidson dirigiu-se a suas oito milhas de caminhada. O pequeno vale de Brockstone logo o levou para a parte mais ampla de Tent e para Stanford St. Thomas, onde ele encontrou um refresco.

Não é necessário acompanhá-lo até Longbridge. Porém, quando trocava as meias antes do jantar, parou de repente e disse com uma voz um pouco alta:

— Por Deus, essa é uma coisa estranha!

Não lhe havia ocorrido antes como era estranho que qualquer edição do livro de orações tivesse sido publicada em 1653, sete anos antes da Restauração, cinco anos antes da morte de Cromwell, e quando o uso do livro, quanto mais a impressão dele, tratava sobre punição. Deve ter sido um homem ousado aquele que colocou seu nome e uma data na página de rosto. Sr. Davidson ponderou que provavelmente não era o nome dele, pois os métodos de impressão em tempos difíceis eram tortuosos.

Enquanto ele estava no saguão da frente do Swan naquela noite, fazendo algumas investigações sobre trens, um pequeno carro parou em frente à porta, e dele saiu um homenzinho com um casaco de pele que subiu na escada e deu instruções com um sotaque estrangeiro bastante alto para seu motorista. Quando entrou no hotel, foi visto com cabelo preto e rosto pálido, com uma barba pontuda e um pincenê dourado. Em suma, estava muito bem arrumado.

Ele dirigiu-se para o quarto, e Sr. Davidson não o viu mais até a hora do jantar. Como eram os dois únicos jantando naquela noite, não foi difícil para o recém-chegado encontrar uma desculpa para cair em uma conversa. Ele estava evidentemente querendo descobrir o que havia levado Sr. Davidson até aquela vizinhança durante aquela temporada.

— Pode dizer-me qual é a distância daqui até Arlingworth? — foi uma de suas primeiras perguntas, e foi uma das que jogou alguma luz em seus próprios planos.

Sr. Davidson lembrou-se de ter visto na estação um anúncio de uma venda na Mansão Arlingworth, composta por móveis antigos, fotos e livros. Este, então, era um negociante de Londres.

— Não, nunca estive lá — disse ele. — Acredito que esteja perto de Kingsbourne, não pode ser menos de doze milhas. Sei que haverá uma venda por lá em breve.

O outro olhou para ele curiosamente, e ele riu ao dizer como se respondesse a uma pergunta:

— Não, o senhor não precisa temer minha concorrência. Vou embora amanhã.

Isso acalmou o ar, e o negociante, cujo nome era Homberger, admitiu que estava interessado em livros e pensou que poderia haver nessas velhas bibliotecas de casas de campo algo para compensar uma viagem.

— Pois nós ingleses — disse — temos sempre esse talento maravilhoso para acumular raridades nos lugares mais inesperados, não é?

E no decorrer da noite ele estava mais interessado no assunto das descobertas feitas por ele mesmo e por outros:

— Depois desta venda, aproveitarei a oportunidade para dar uma olhada no distrito. Talvez o senhor possa informar-me de alguns locais prováveis, Sr. Davidson?

Sr. Davidson, no entanto, embora tivesse visto algumas estantes muito tentadoras trancadas em Brockstone, manteve seu conselho. Ele não gostava muito de Sr. Homberger.

No dia seguinte, enquanto se sentava no trem, um pequeno raio de luz veio para iluminar um dos enigmas do dia anterior. Por acaso, ele pegou um jornal-almanaque que comprara para o ano novo e ocorreu-lhe olhar para os eventos notáveis de 25 de abril. E ali estava:

São Marcos. Nasce Oliver Cromwell em 1599.

Isso, junto com a pintura do teto, parecia explicar muito. A figura da velha Senhora Sadleir tornou-se mais substancial para sua imaginação, como uma em que o amor pela Igreja e pelo Rei tinha gradualmente dado lugar ao ódio intenso do poder que havia silenciado a um e massacrado ao outro. Que curioso serviço maligno era aquele que ela e alguns como ela costumavam celebrar ano após ano naquele remoto vale? E como no mundo ela conseguiu escapar das autoridades? E, novamente, essa abertura persistente dos livros não concordava estranhamente com os outros traços de seu retrato conhecido por ele? Seria interessante para qualquer um que tivesse a chance de estar perto de Brockstone no vigésimo quinto dia de abril olhar para a capela e ver se algo excepcional aconteceria. Quando começou a pensar nisso, parecia não haver razão para que ele próprio não fosse aquele alguém. Ele e, se possível, algum simpático amigo. Ele resolveu isso, e, então, assim deveria ser.

Sabendo que não conhecia realmente nada sobre a impressão de livros de oração, percebeu que deveria empenhar-se em obter a melhor luz sobre o assunto, sem divulgar suas razões. Posso dizer imediatamente que sua busca foi totalmente infrutífera. Um escritor do início do século XIX, um escritor de um guia bastante abrangente e cansativo sobre livros, declarou ter ouvido falar de uma edição especial do livro de orações contra a Comunidade das Nações bem no meio do período dessa comunidade. Porém, ele não alegou ter visto uma cópia, e ninguém tinha acreditado nele. Ao analisar esse assunto, Sr. Davidson descobriu que a declaração fora baseada em cartas de um correspondente que morava perto de Longbridge, e então estava inclinado a pensar que os livros de orações de Brockstone estavam no fundo dele. Ali nasceu um imediato interesse.

Meses se passaram, e o Dia de São Marcos tornava-se próximo. Nada interferiu nos planos de Sr. Davidson de visitar Brockstone ou nos planos do amigo a que havia persuadido a acompanhá-lo e a quem unicamente ele confiou o enigma. O mesmo trem de 25 minutos que o levou em janeiro levou-os agora para Kingsbourne. O mesmo campo-caminho levou-os a Brockstone. Porém, naquele dia, eles pararam mais de uma vez para colher flores.

As distantes florestas e os arados planaltos eram de outra cor, e no bosque, como disse Sra. Porter, havia "um encanto regular de pássaros, assim dificilmente era possível organizar a mente algumas vezes".

Ela reconheceu Sr. Davidson imediatamente e estava de fato pronta para fazer as honras da capela. O novo visitante, Sr. Witham, ficou tão impressionado com a completude dela como Sr. Davidson ficara.

— Não pode haver alguma outra assim na Inglaterra — disse ele.

— Livros abertos novamente, Sra. Porter? — perguntou Davidson enquanto caminhavam até o presbitério.

— Nossa, sim. Eu creio que sim, senhor — respondeu Sra. Porter enquanto tirava os panos, e logo exclamou no momento seguinte: — Bem, veja! Eles não estão fechados! É a primeira vez que os encontro assim. Porém não é por falta de cuidado de minha parte, eu asseguro aos senhores. Não estavam assim, pois senti os panos, foi a última coisa antes de encerrar na semana passada, quando um cavalheiro tinha feito fotografias das janelas, e todas estavam fechadas; e, onde sobraram tecidos, amarrei. Agora que penso nisso, não me lembro de alguma vez ter feito isso antes; e talvez, quem quer que seja, isso só fez diferença para ele. Bem, isso apenas mostra, não é? Se não conseguir no início, persista, persista, persista novamente.

Enquanto isso, os dois homens examinavam os livros, e logo falou Davidson:

— Lamento dizer que temo que haja algo errado aqui, Sra. Porter. Estes não são os mesmos livros.

Seria um trabalho muito longo detalhar todos os gritos de Sra. Porter e os questionamentos que vieram a seguir. Então o resultado foi este. No início de janeiro, o cavalheiro veio ver a capela, pensou muito a respeito disso e afirmou que deveria voltar na estação da primavera para tirar algumas fotografias. E apenas uma semana antes ele havia dirigido em seu carro e tinha uma caixa muito pesada com placas dentro. Ela o trancou dentro, pois ele havia dito algo sobre uma longa explosão, e ela estava com medo de ocorrer algum dano. E ele disse que não, não uma explosão, mas parecia que a luz com que eles capturavam as imagens funcionava bem devagar, e então ficou lá por quase uma hora. Ela voltou, deixou-o sair, e ele foi embora com sua caixa e tudo e deu a ela seu cartão de visita.

— Oh, nossa, nossa... De pensar em tal coisa! Ele deve ter trocado os livros e levado os antigos consigo em sua caixa.

— Que tipo de homem era ele?

— Oh, nossa, ele era um cavalheiro pequeno, se é possível chamá-lo assim pelo jeito que se comportou, mas tinha cabelo preto, isto é, se fosse cabelo, e óculos de ouro, se eles fossem de ouro... Realmente, não é possível saber em que acreditar. Às vezes, duvido que fosse realmente um britânico, mas parecia saber o idioma e tinha o nome no cartão de visita como qualquer outra pessoa.

— Espere. Nós podemos ver o cartão? Sim. T. W. Henderson e um endereço próximo a Bristol. Bem, Sra. Porter, é bastante claro que este Sr. Henderson, como ele mesmo se chama, saiu com seus oito livros de oração e colocou outros oito do mesmo tamanho no lugar deles. Agora, escute-me. Suponho que deva contar ao seu marido sobre isso, mas nem a senhora nem ele devem dizer uma palavra sobre isso para qualquer outra pessoa. Se me der o endereço do agente... Sr. Clark, não é? Escreverei a ele e direi exatamente o que aconteceu, e que realmente não é culpa sua. Porém, a senhora entende que devemos manter tudo em segredo? E o motivo disso? Porque esse homem que roubou os livros vai, naturalmente, tentar vendê-los um de cada vez, pois posso dizer que eles valem uma boa quantidade de dinheiro. A única maneira de trazê-los para casa é mantendo um olhar atento e não dizendo nada.

Com a insistência de repetir o conselho de várias maneiras, eles conseguiram impressionar Sra. Porter com a real necessidade de silêncio e foram forçados a fazer uma concessão apenas no caso de Sr. Avery, que era esperado para uma visita em breve.

— Mas você pode estar seguro com o pai, senhor — disse Sra. Porter. — O pai não é um homem falante.

Não era bem a experiência que Sr. Davidson tinha dele. Ainda assim, não havia vizinhos em Brockstone, e até Sr. Avery deveria estar ciente de que fofocas com qualquer pessoa sobre esse assunto provavelmente terminariam com os Porters tendo de tomar conta de outra situação.

Uma última pergunta era se Sr. Henderson, assim chamado, tinha alguém consigo.

— Não, senhor, não quando veio. Ele não tinha companhia, mas tinha a si mesmo e estava-se locomovendo em seu próprio carro, e... Qual bagagem tinha, deixe-me ver... Havia sua lanterna e esta caixa de placas dentro do carro que eu o ajudei a levar até a capela e a retirar dela. Eu mesma junto dele. Se ao menos eu soubesse! E, enquanto ele passava sob o grande teixo perto do monumento, vi o longo pacote branco colocado no topo do carro, o que não havia percebido quando ele chegou. E ele sentou-se na frente, senhor, e apenas as caixas na parte de trás. Acredita realmente, senhor, que o nome dele não era Henderson? Meu Deus, que coisa terrível! Ora, imagine o problema que isso poderia causar a uma pessoa inocente que talvez nunca tivesse posto os pés naquele lugar, se não fosse isso!

Deixaram Sra. Porter em lágrimas. No caminho para casa, houve muita discussão sobre os melhores meios de acompanhar as possíveis vendas. O que Henderson-Homberger (já que não poderia haver dúvida real da identidade) tinha obviamente feito fora reduzir o número necessário de fólios dos livros de orações em exemplares em desuso de capelas de faculdades e semelhantes, comprados ostensivamente por causa das encadernações, que eram superficialmente semelhantes aos antigos, para substituí-los em seu lazer pelos artigos genuínos.

Uma semana já se havia passado sem que nenhum aviso público fosse feito sobre o roubo. Ele mesmo levaria um pouco de tempo para descobrir a raridade dos livros e, sem dúvida, iria "anunciá-los" com cautela. Entre eles, Davidson e Witham estavam em posição de saber uma boa parte do que se passava no mundo dos livros e podiam mapear completamente o terreno. Um ponto fraco deles no momento era que nenhum dos dois sabia com que outro nome, ou nomes, Henderson-Homberger conduzia seus negócios. Mas existiam maneiras de resolver tais problemas.

No entanto, todo esse planejamento mostrou-se desnecessário.

4

Somos transportados para um escritório em Londres no mesmo dia 25 de abril. Encontramos lá, a portas fechadas, no final do dia, dois inspetores de polícia, um comissário e um jovem escrivão. Os dois últimos homens, ambos bastante pálidos e com a aparência agitada, estão sentados em cadeiras e são questionados.

— Há quanto tempo o senhor diz que está no trabalho de Sr. Poschwitz? Seis meses? E qual era sua ocupação? Participou de vendas em várias partes e trouxe para casa pacotes de livros. Ele possuía uma loja em algum lugar? Não? Dispôs deles aqui e ali, e às vezes para colecionadores particulares. Certo. Então, quando ele saiu pela última vez? Há pouco mais de uma semana? O senhor vai dizer para onde ele estava indo? Não? Disse que partiria de sua residência particular no dia seguinte e não deveria estar no escritório antes de dois dias. Aqui, não é? O senhor deveria comparecer como de costume. Onde fica sua residência particular? Oh, esse é o endereço. Vejo que é no sentido de Norwood. Alguma família? Não nessa cidade? Agora, então, o que o senhor conta sobre o que aconteceu desde que voltou? Voltou na terça-feira, certo? E este é o sábado. Trouxe algum livro? Um pacote. Onde está? No cofre? O senhor tem a chave? Não, com certeza está aberto. É claro. Como ele parecia quando voltou? Alegre? Bem, como o senhor quer dizer... Curioso? Achei que ele poderia ter uma doença. Ele disse isso, não é? Um cheiro estranho entrou em seu nariz, não conseguia livrar-se dele. Ele disse ao senhor para avisar-lhe quem desejava vê-lo antes de deixá-los entrar? Isso não era normal com ele? Quase a mesma coisa todas as quartas, quintas e sextas-feiras. Um bom acordo. Ele disse que ia ao Museu Britânico. Frequentemente ia até lá para fazer perguntas sobre seus negócios. Andava muito para cima e para baixo no escritório quando estava lá. Alguém ligou nesses dias? Principalmente quando ele estava fora. Alguém o encontrou? Oh, Sr. Collinson? Quem é Sr. Collinson? Um antigo cliente. Sabe o endereço dele? Tudo bem, dê-nos depois. Bem, agora, e esta manhã? O senhor deixou Sr. Poschwitz aqui ao meio-dia e foi para casa. Alguém viu o senhor? Comissário, o senhor o viu? Permaneceu em casa até ser chamado aqui. Muito bem.

"Agora, comissário, temos seu nome. Watkins, certo? Muito bem, faça sua declaração. Não vá muito rápido, para que possamos acompanhá-lo."

— Fiquei de plantão aqui mais tarde do que de costume, pois Sr. Potwitch me pediu que ficasse e ordenou que seu almoço fosse enviado, o que veio como ordenado. Eu estava no saguão das onze e meia em diante, e vi Sr. Bligh [o balconista] sair por volta das doze. Depois disso, ninguém entrou, exceto o almoço de Sr. Potwitch à uma hora, e o homem saiu em cinco minutos. Durante a tarde, cansei de esperar e subi para este primeiro andar. A porta externa que leva até a abertura estava aberta, e eu chego até a porta de vidro laminado aqui. Sr. Potwitch estava parado atrás da mesa fumando um charuto e o colocou sobre a lareira, apalpou os bolsos da calça, tirou uma chave e foi até o cofre. E eu bati no vidro, pensando se ele queria que eu pegasse sua bandeja, mas ele não deu atenção, pois estava distraído com a porta do cofre. Então ele abriu e abaixou-se, e parecia estar levantando um pacote de dentro do cofre. E então, senhor, vejo o que parecia ser um grande rolo de flanela branca velha e surrada, com cerca de um metro a um metro e meio, caindo para a frente do lado de dentro do cofre bem no ombro do Sr. Potwitch quando ele se curvava. Sr. Potwitch se ergueu, por assim dizer, apoiando as mãos no pacote, e soltou uma exclamação. E não posso esperar que o senhor aceite o que eu digo, mas, tão verdadeiramente quanto o fato de eu estar aqui, vi que esse rolo tinha uma espécie de rosto na parte superior dele, senhor. O senhor não pode estar mais surpreso do que eu, posso-lhe garantir, e já vi muita coisa na minha vida. Sim, posso descrever, se desejar, senhor. Era quase igual a esta parede aqui na cor [a parede tinha uma mancha cor de terra] e tinha um pedaço de uma faixa amarrada embaixo. E os olhos, bem, pareciam secos, como se houvesse corpos de duas grandes aranhas nos buracos. Cabelo? Não, não sei se havia muito cabelo a ser visto. O pedaço de flanela estava por cima da cabeça. Tenho certeza de que não era o que deveria ser. Não, eu só vejo em um *flash*, mas capturei como uma foto... Gostaria de não tê-lo feito. Sim, senhor, caiu bem no ombro de Sr. Potwitch, e esse rosto se escondeu em seu pescoço. Sim, senhor, sobre onde estava o ferimento, mais como um furão indo atrás de um coelho do que qualquer outra coisa. Ele rolou, e é claro que tentei entrar pela porta; mas, como sabe, senhor, estava trancada por dentro, e tudo o que pude fazer foi telefonar para todos. O cirurgião veio, a polícia e os senhores sabem tanto quanto eu. Se o senhor não precisar mais de mim hoje, ficaria feliz em voltar para casa. Isso me abalou mais do que eu pensava.

— Bem — disse um dos inspetores, quando foram deixados sozinhos.

— Bem? — disse o outro inspetor, e após uma pausa: — Qual é mesmo o relatório do cirurgião? O senhor o tem. Sim? Efeito no sangue como o pior tipo de picada de cobra. Morte quase instantânea. Estou feliz com isso, por causa dele. Ele era uma visão desagradável. Não há razão para deter esse homem Watkins, de qualquer maneira. Nós sabemos tudo sobre ele. E quanto a este cofre, agora? É melhor repassarmos isso; e, a propósito, não abrimos aquele pacote com o qual ele estava ocupado quando morreu.

— Bem, trate disso com cuidado — disse o outro. — Pode haver uma cobra nele, pelo que se sabe. Coloque uma luz nos cantos do lugar também. Bem, há espaço para uma pessoa pequena levantar-se, mas e a ventilação?

— Talvez... — disse o outro lentamente, enquanto explorava o cofre com uma lanterna elétrica — ...talvez eles não precisassem de muito disso. Meu Deus! O ar sai quente daquele lugar! Como um cofre, é. Mas aqui, o que é essa massa de poeira espalhada pela sala? Isso deve ter acontecido desde que a porta fora aberta. Varreria tudo ao mover algo. Está vendo? O que acha disso?

— Que fazer? Tanto quanto eu considero qualquer outra coisa neste caso. Isso vai ser um dos mistérios de Londres, pelo que posso ver. E não acredito que uma caixa de fotógrafo cheia de livros de orações grandes e antigos nos vá levar muito mais longe. Pois é exatamente isso que o seu pacote é.

Foi uma declaração natural, mas apressada. A narrativa anterior mostra que havia, de fato, muito material para construir um caso. E, quando uma vez os senhores Davidson e Witham acabaram na Scotland Yard, a junção foi logo feita, e o círculo se completou.

Para alívio de Sra. Porter, os proprietários de Brockstone decidiram não substituir os livros da capela. Eles repousam, creio eu, em um cofre na cidade. A polícia tem seus próprios métodos de manter certos assuntos fora dos jornais; caso contrário, dificilmente é possível supor que as evidências de Watkins sobre a morte de Sr. Poschwitz não tenham conseguido fornecer à imprensa muitas manchetes de caráter surpreendente.

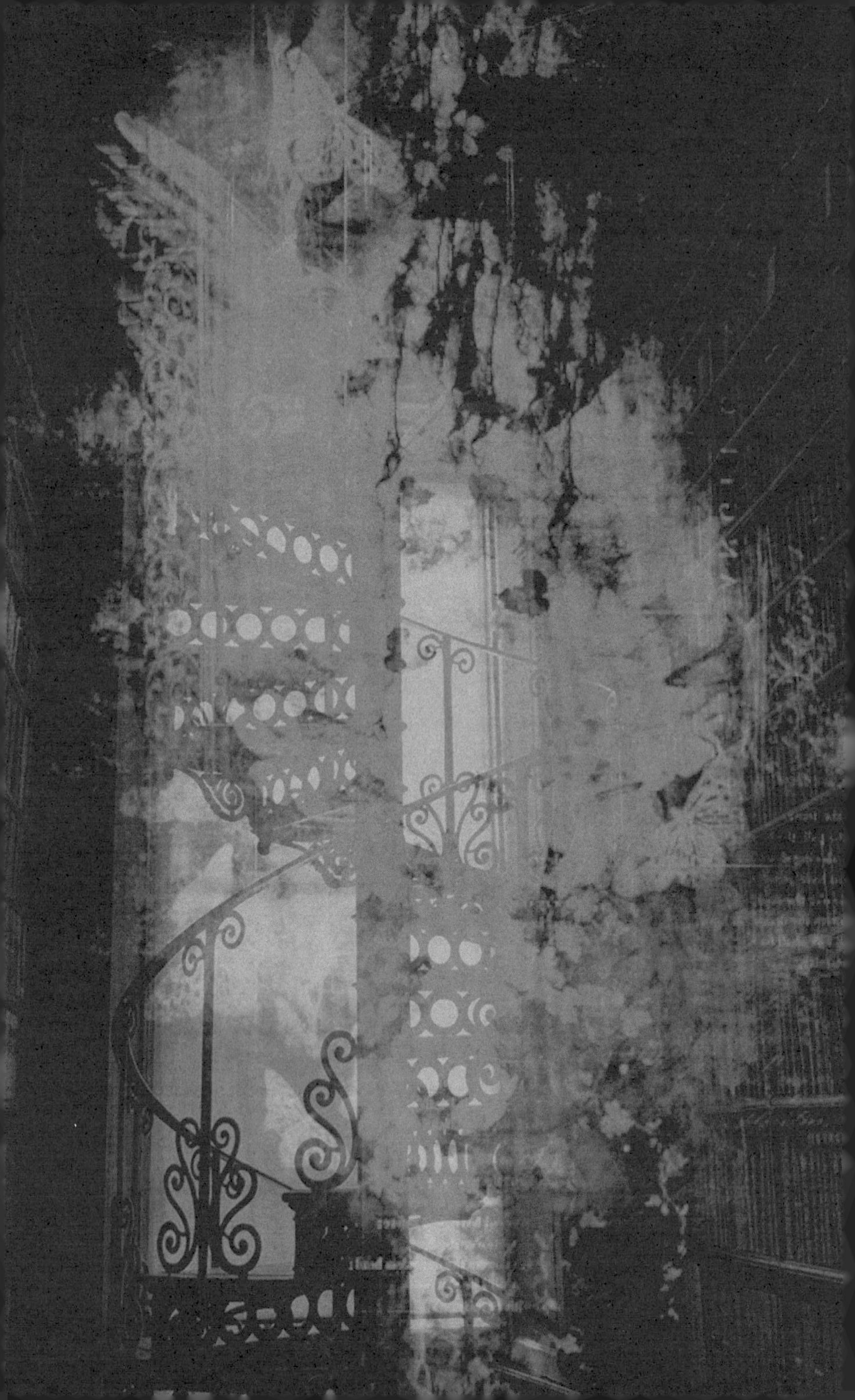

O MARCO DE UM VIZINHO

Aqueles que passam a maior parte de seu tempo lendo ou escrevendo livros são, é claro, capazes de dar uma atenção especial ao acúmulo de livros ao se deparar com eles. Eles não passarão por uma barraca, uma loja ou mesmo uma prateleira de um quarto sem ler algum título; e, caso se encontrem em uma biblioteca desconhecida, nenhum anfitrião precisa preocupar-se mais com seu entretenimento. A junção de conjuntos dispersos de volumes ou a pilha à direita daqueles que a arrumadeira deixou bagunçados atrai-os como uma das menores obras de misericórdia. Feliz com essas ocupações e ocasionalmente abrindo um *octavo* do século XVIII, para ver "do que se trata" e para concluir após cinco minutos que merece o isolamento de que agora desfruta. Eu havia chegado em meio a uma tarde úmida de agosto na Área Betton...

— Isso começa de uma maneira profundamente vitoriana — respondi. — Deve continuar assim?

— Lembre-se, por favor — respondeu meu amigo, olhando-me por cima dos óculos —, de que sou um vitoriano de nascimento e educação, e de que não se pode esperar que a árvore victoriana dê frutos vitorianos sem razão. Além disso, lembre-se de que uma imensa quantidade de lixo intelectual e profundo está escrita agora sobre a era vitoriana. — E continuou ao colocar os papéis no colo: — Agora, aquele artigo, "Os anos arrasados", na *Coluna Literária* do *The Times* outro dia... Pode? Claro que pode, mas... Ah! Meu Deus! Basta entregá-lo aqui, está bem? Está na mesa para o senhor.

— Achei que o senhor fosse ler para mim algo que havia escrito — disse sem me mexer. — Porém, é claro...

— Sim, eu sei — respondeu ele. — Muito bem, então farei isso primeiro. Porém *gostaria* de mostrar depois o que quero dizer. No entanto...

E ele ergueu as folhas de papel e ajustou seus óculos ao seguir:

> Na Área Betton, onde, gerações atrás, duas bibliotecas de casas de campo foram fundidas, e nenhum descendente de qualquer uma das duas jamais enfrentou a tarefa de recolhê-las ou de se livrar de cópias duplicadas. Agora não pretendo revelar as raridades que posso ter descoberto, *quartos* de Shakespeare ligados a volumes de tratados políticos ou qualquer coisa desse tipo, mas há uma experiência que me aconteceu no curso de minha pesquisa, uma experiência que não posso explicar ou encaixar no esquema de minha vida comum.
>
> Era, eu disse, uma tarde úmida de agosto, com bastante vento, bastante quente. Do lado de fora da jane-

lá, grandes árvores se agitavam e balançavam. Entre elas havia trechos de campos verdes e amarelos (pois a área do pátio fica no alto de uma encosta), e distantes colinas azuis, veladas pela chuva.

Lá em cima havia um movimento muito inquieto e desesperado de nuvens baixas viajando para o noroeste. Eu tinha suspendido meu trabalho por alguns minutos... Se for possível chamar isso de trabalho, para ficar na janela e olhar para essas coisas, para o telhado da estufa à direita com a água escorrendo e para a torre da igreja que se erguia atrás dela. Tudo estava a favor de que eu seguisse em frente, não havia nenhuma probabilidade de esclarecimento nas horas seguintes. Eu, portanto, voltei às estantes, peguei um conjunto de oito ou nove volumes, intitulei-os "Folhetos" e os coloquei na mesa para uma análise mais detalhada.

Eles ocorreram durante a maior parte do reinado de Anne. Houve boa parte de *A Última Paz, A Última Guerra, A Conduta dos Aliados*. Havia também *Cartas a um Convocador*; *Sermões de Sennons em St. Michael, Queenhithe*; *Inquéritos sobre uma acusação tardia do Bispo de Winchester* (ou mais provavelmente Winton) *ao seu Clero*. Todas as coisas foram muito vivas alguma vez e de fato ainda mantinham tanto de sua antiga organização, que fiquei tentado a me sentar em uma poltrona na janela para dar-lhes mais tempo do que pretendia. Além disso, estava um pouco cansado durante o dia. O relógio da igreja bateu quatro horas, e eram quatro mesmo, pois em 1889 não havia horário de verão.

Então me estabeleci. E primeiro dei uma olhada em alguns dos panfletos de guerra, e me agradou tentar distinguir Swift por seu estilo entre os demais. Porém os panfletos de guerra precisavam de mais conhecimento da geografia dos Países Baixos do que eu tinha. Voltei-me para a igreja e li várias páginas do que o Reitor de Canterbury disse à Sociedade para a Promoção do Conhecimento Cristão por ocasião de sua reunião de aniversário em 1711. Quando encontrei uma carta de um clérigo beneficiado no local ao Bispo de C—r, eu estava ficando cansado e olhei por alguns momentos para a seguinte frase sem surpresa:

> "Este abuso (pois acho que sou justificado ao chamá-lo por esse nome) é um dos quais estou convencido de que Vossa Senhoria (se isso fosse conhecido) enviaria todos os esforços para eliminar. No entanto, também estou convencido de que não se sabe nada além de tal existência que (nas palavras da canção local):
>
> *Aquilo que caminha no Bosque Betton*
> *Sabe por que caminha ou por que chora."*

Então, de fato, sentei-me na cadeira e corri o dedo ao longo das linhas para me certificar de que as havia lido corretamente. Não houve engano. Nada mais foi extraído do resto do panfleto. O próximo parágrafo definitivamente mudou de assunto:

"Porém, já disse o suficiente sobre este Tópico."

Foram suas palavras iniciais. Tão discreto, também, era o anonimato do clérigo beneficiado cujas iniciais ele se absteve até de citar, e teve sua carta impressa em Londres.

O enigma era de um tipo que poderia interessar um pouco a qualquer pessoa; e, para mim, que me dediquei muito às obras do folclore, foi realmente emocionante. Eu estava decidido a resolvê-lo. Quero dizer, a descobrir a história que havia por trás disso; e, pelo menos, senti-me com sorte em um ponto; pois, embora pudesse ter encontrado o parágrafo em alguma biblioteca de uma faculdade distante, aqui estava eu, em Betton, no próprio cenário da ação.

O relógio da igreja bateu cinco horas, seguido de uma única batida de gongo. Isso, eu sabia, significava hora do chá. Eu me levantei da cadeira funda e obedeci à convocação.

Meu anfitrião e eu estávamos sozinhos no pátio. Ele voltou logo, cheio de uma rodada de recados do proprietário e com notícias locais que precisavam ser divulgadas antes que eu pudesse ter a oportunidade de perguntar se havia um determinado lugar no vilarejo que ainda era conhecido como Bosque Betton.

— O Bosque Betton ficava a uma pequena milha de distância, bem no topo da Colina Betton — disse ele —, e meu pai acabou com o resto quando valia mais plantar milho que carvalhos. Por que quer saber sobre o Bosque Betton?

— Porque — respondi —, em um velho panfleto que eu estava lendo agora, há dois versos de uma canção local que o mencionam, e é como se houvesse uma história sobre isso. Alguém diz que outra pessoa não sabe mais o que quer que seja:

> *"Aquilo que caminha no Bosque Betton*
> *Sabe por que caminha ou por que chora."*

— Meu Deus! — disse Philipson. — Pergunto-me se foi por isso... Devo perguntar ao velho Mitchell.

Ele murmurou outra coisa para si mesmo e, pensativo, pegou um pouco mais de chá.

— Se foi pelo quê? — perguntei.

— Sim, eu ia dizer, se foi por isso que meu pai mandou derrubar o bosque. Eu disse há pouco que era para conseguir mais terra arável, mas não sei realmente se era. Não acredito que ele alguma vez a tenha arado; é um pasto rude neste momento. Mas há pelo menos um velho que se lembraria de algo... O velho Mitchell. — Ele olhou para o relógio. — Bendito seja se eu não descer até lá e perguntar a ele. Não creio que ele vá aceitar o senhor. — E continuou: — Ele não vai contar nada que ache curioso se houver um estranho por perto.

— Bem, tente lembrar-se de cada coisa que ele disser. Quanto a mim, se clarear, sairei; e, se não, prosseguirei com os livros.

Clareou, ao menos o suficiente para me fazer pensar que valia a pena subir a colina mais próxima e dar uma olhada no local. Eu não conhecia a configuração do terreno. Foi a primeira visita que fiz a Philipson, e assim foi o primeiro dia.

Desci então até o jardim, entrei entre os arbustos molhados com a mente muito aberta e não ofereci resistência ao indistinto impulso. Era, no entanto, tão indistinto? Incitava-me a virar para a esquerda sempre que havia uma bifurcação no caminho. O resultado foi que, depois de dez minutos ou mais de escuridão passando entre gotejantes filas de loureiros e alfeneiros, fui confrontado por um arco de pedra em estilo gótico situado em uma parede de pedra que circundava toda a propriedade. A porta estava fechada com uma fechadura de mola, e tomei o cuidado de deixá-la no lugar ao sair para a estrada. Atravessei tal estrada e entrei numa passagem estreita entre cercas vivas que conduziam o caminho adiante. Segui tal caminho em um ritmo vagaroso por cerca de meia milha e fui até o campo para o qual ele levava. Eu estava agora em um ponto de vista vantajoso para avaliar a situação do campo, da vila e da vegetação; inclinei-me sobre um portão e olhei para o oeste e para baixo.

Acho que todos nós devemos conhecer as paisagens... São de Birket Foster ou um pouco anteriores? Essas que, em forma de xilogravura, decoram os volumes de poesia que estavam presentes nas mesas dos salões de nossos pais e avós, volumes em *Tecidos de arte, encadernações em relevo*. Essa me parece ser a frase certa.

Eu confesso ser um admirador delas e principalmente daquelas que mostram o camponês inclinado sobre um portão em uma cerca viva e inspecionando, na parte inferior de uma encosta descendente, a torre da igreja do vilarejo, perdida em meio a veneráveis árvores e uma fértil planície cortada por cercas vivas e delimitada por distantes colinas, atrás das quais o passar do dia segue (ou pode estar iniciando) em meio a niveladas nuvens iluminadas por seu poente (ou nascente) raio.

As expressões empregadas aqui são aquelas que parecem apropriadas às imagens que tenho em mente. Se houvesse oportunidade, teria tentado trabalhar no vale, no bosque, na casa e no lago. De qualquer forma, essas paisagens são lindas para mim, e foi exatamente uma dessas que agora estive pesquisando. Pode ter saído diretamente de *Gemas da Canção Sagrada, selecionadas por uma Dama* e pode ter sido dada como presente de aniversário a Eleanor Philipson, em 1852, por sua amiga Millicent Graves.

De repente, virei-me como se tivesse sido picado. Em meu ouvido direito, vibrou e perfurou minha cabeça uma nota de incrível nitidez, como o barulho de um morcego, ao menos dez vezes intensificado. Esse é o tipo de coisa que nos faz chegar ao questionamento sobre algo ter cedido no cérebro. Prendi a respiração, cobri meu ouvido e estremeci. Havia algo ao redor. Mais um minuto ou dois, pensei, e volto para casa. Mas devo fixar a vista com um pouco mais de firmeza em minha mente. Porém, quando me voltei a ela, o prazer havia sumido.

O sol estava-se pondo atrás da colina, e a luz estava apagada nos campos; e, quando o sino do relógio na torre da igreja bateu sete, não pensei mais nas amáveis horas noturnas de descanso e nos aromas de flores e bosques no ar do crepúsculo, e era como se alguém em uma fazenda a uma ou duas milhas de distância dissesse *Como o sino Betton soa esta noite depois da chuva*! No entanto, em vez disso, vieram-me imagens de vigas empoeiradas, aranhas rastejantes e corujas selvagens no alto da torre, túmulos esquecidos e seu horrível conteúdo embaixo, o tempo passado e tudo que isso havia já eliminado de minha vida. E então, no meu ouvido esquerdo, perto como se os lábios tivessem sido colocados a uma polegada da minha cabeça, o terrível grito surgiu arrebatador novamente.

Não havia engano possível agora. Aquilo *vinha de fora*.

"Sem linguagem, senão um grito" foi o pensamento que passou pela minha mente.

Horrível, estava além de qualquer coisa que eu tivesse ouvido ou ouvi desde então, mas não pude ler nenhuma emoção nisso e duvidei se poderia compreender qualquer inteligência. Todo o seu efeito foi tirar todos os vestígios e todas as possibilidades de prazer e tornar este um lugar onde não ficar nem mais um momento sequer. É claro que não havia nada para ver, mas eu estava convencido de que, se esperasse, a coisa me passaria novamente em seu ritmo inútil e infinito, e eu não poderia suportar a ideia de uma terceira repetição.

Corri de volta para a estrada, desci a colina. Porém, quando cheguei ao arco na parede, parei. Será que posso ter certeza do meu caminho entre aqueles becos úmidos que estariam ainda mais úmidos e escuros agora?! Não, confessei a mim mesmo que estava com medo. Todos os meus nervos estavam tão abalados com o grito na colina, que realmente senti que não poderia dar-me ao luxo de ser assustado nem mesmo por um passarinho em um arbusto ou por um coelho. Eu segui a estrada que acompanhava o muro e não lamentei quando cheguei ao portão e à cabana e avistei Philipson subindo ao vir da direção do vilarejo.

— E onde o senhor esteve? — perguntou ele.

— Eu peguei aquela estrada que sobe a colina oposta ao arco de pedra no muro.

— Ah, é mesmo? Então o senhor esteve muito perto de onde o Bosque Betton costumava estar, se ao menos seguiu até o topo e saiu para o campo.

E, se o leitor acreditar, foi a primeira vez que somei dois e dois. Contei imediatamente a Philipson o que havia acontecido comigo? Não o fiz. Não tive outras experiências do tipo que são chamadas sobrenaturais, ou "alguma-coisa-normal", ou "alguma-coisa-física"; mas, embora eu soubesse muito bem que deveria falar sobre essa situação em breve, não estava nem um pouco ansioso para fazê-lo. E creio que li sobre isso, e trata-se de um caso comum.

Então tudo que eu disse foi:

— O senhor encontrou o velho que pretendia ver?

— O velho Mitchell? Sim, e arranquei dele uma espécie de história. Vou guardar até depois do jantar. É realmente muito estranha.

Assim, quando nos acomodamos depois do jantar, ele começou a relatar, fielmente, como disse, o diálogo que havia ocorrido. Mitchell, não muito longe dos oitenta anos, estava em sua cadeira. A filha casada com quem ele morava entrava e saía preparando-se para o chá.

Depois das saudações habituais:

— Mitchell, quero que me diga algo sobre o bosque.

— Qual bosque, Mestre Reginald?

— O Bosque Betton. O senhor se lembra?

Mitchell lentamente ergueu a mão e apontou um dedo indicador acusador ao dizer:

— Foi seu pai que acabou com o Bosque Betton, Mestre Reginald. Posso dizer apenas isso.

— Bem, eu sei que foi, Mitchell. O senhor não precisa olhar para mim como se fosse minha culpa.

— Culpa do senhor? Não, eu digo que foi seu pai quem fez isso, antes do seu tempo.

— Sim, e ouso dizer que, se a verdade fosse conhecida, foi seu pai que o aconselhou a fazer isso, e quero saber o motivo.

Mitchell parecia um pouco divertido ao dizer:

— Bem, meu pai foi o lenhador de seu pai e de seu avô antes dele; e, se ele não soubesse o que era de sua conta, deveria tê-lo feito. E, se ele deu conselhos dessa forma, suponho que ele pudesse ter seus motivos, não?

— Claro que sim, e quero que me diga quais eram.

— Bem, agora, Mestre Reginald, o que o faz pensar, já que sei quais podem ser as razões dele, já há quantos anos?

— Bem, com certeza, é muito tempo, e o senhor poderia facilmente ter esquecido, se é que algum dia soube. Suponho que a única coisa que devo fazer é perguntar ao velho Ellis o que ele consegue lembrar a respeito disso.

Isso teve o efeito que eu esperava.

— O velho Ellis! — resmungou ele. — É a primeira vez que ouvi alguém dizer que o velho Ellis era útil para algum propósito. Eu deveria ter pensado que o senhor sabia melhor disso, Mestre Reginald. O que o senhor acha que o velho Ellis pode dizer-lhe melhor do que eu sobre o Bosque Betton, e que informação ele pode fazer antes de mim, gostaria de saber. O pai dele não era um lenhador no local; ele era um lavrador. Era isso que ele era, então qualquer um poderia dizer o que sabe. Qualquer um poderia dizer-lhe isso, eu digo.

— É isso mesmo, Mitchell, mas, se o senhor sabe tudo sobre o Bosque Betton e não quer dizer-me, ora, devo fazer o melhor que puder e tentar descobri-lo por outra pessoa. E o velho Ellis está no local há quase tanto tempo quanto o senhor.

— Não! Nem há dezoito meses! Quem disse que eu não lhe contaria nada sobre o bosque? Não tenho nenhuma objeção. É apenas uma história engraçada, e está certo para mim que deveria saber tudo sobre o vilarejo. Lizzie, por favor, fique um pouco na cozinha. Mestre Reginald e eu queremos ter uma ou duas palavras em privado. Mas uma coisa eu gostaria de saber, Mestre Reginald, o que o levou a perguntar sobre isso hoje?

— Oh! Bem, aconteceu de eu ouvir um velho ditado sobre algo que caminha no Bosque Betton, e perguntei-me se isso tinha alguma coisa que ver com o fato de ter sido destruído. Isso é tudo.

— Bem, o senhor estava certo, Mestre Reginald. Não importa como tenha ouvido falar sobre isso, e acredito que lhe posso dizer os detalhes disso melhor do que qualquer pessoa neste vilarejo, muito mais que o velho Ellis. Veja que ocorreu desta forma: o caminho mais curto para a Fazenda de Allen atravessava o bosque, e, quando éramos pequenos, minha pobre mãe costumava ir muitas vezes durante a semana à fazenda para buscar um litro de leite, porque Sr. Allen tinha a fazenda então sob o comando de seu pai. Ele era um bom homem, e qualquer pessoa que tivesse uma família jovem para criar, ele estava disposto a dar-lhes muito leite durante a semana. Mas nada disso importa agora. E minha pobre mãe nunca gostou de passar pelo bosque, porque havia muitos boatos no lugar e ditados como o que o senhor mencionou há pouco. Porém, de vez em quando, quando ela se atrasava com seu trabalho, ela tinha de pegar a estrada curta através do bosque; e, sempre que o fazia, voltava para casa em um estado estranho. Lembro-me dela e de meu pai falando sobre isso, e ele dizia "Bem, mas não pode fazer mal a você, Emma", e ela dizia "Oh! Mas você não tem ideia disso, George. Ora, passou direto pela minha cabeça", dizia ela, "e eu vim como se estivesse desnorteada e como se não soubesse onde estava. Veja, George", dizia ela, "não é como se você estivesse lá no entardecer. Você sempre vai lá durante o dia, não é?". E ele respondia "Ora, claro que sim. Acha que sou tolo?". E assim eles continuavam. E o tempo foi passando, e acho que isso a cansou, porque, o senhor entende, não adiantava ir buscar o leite antes da tarde. Além disso, ela nunca mandaria nenhuma de nós crianças em seu lugar, com medo de que nos assustássemos. Nem ela mesma quis contar-nos sobre isso. "Não", ela dizia, "já é ruim o suficiente para mim. Não quero que ninguém mais passe por isso, nem ouça falar sobre isso". No entanto, uma vez eu lembro que ela disse "Bem, primeiro é um farfalhar que passa por entre os arbustos, vindo muito rápido, seja em minha direção, seja atrás de mim, de acordo com o tempo. E então vem esse grito que parece perfurar de uma orelha a outra; e depois, enquanto passo, provavelmente sou capaz de ouvi-lo duas vezes. Porém, ainda não ouvi aquilo três vezes". E então eu perguntei-lhe: "Ora, parece que alguém anda de um lado para outro o tempo todo, não é?"; e ela concordou: "Sim, e, seja o que for que ela queira, eu não consigo imaginar". E eu perguntei "É uma mulher, mãe?", e ela logo completou: "Sim, ouvi dizer que é uma mulher".

— Enfim — ele prosseguiu —, o fim disso foi meu pai, que falou com seu pai e disse-lhe que o bosque era maligno. "Nunca é possível caçar um pouco ali, e nunca há um ninho de pássaros ali", disse ele. "E não é nada útil para o senhor." E, depois de muita conversa, seu pai veio ver minha mãe para tratar sobre isso. E ele logo viu que ela não era uma dessas mulheres tolas que ficam nervosas por não pensar em nada, e decidiu que havia algo nisso. Pouco depois, ele perguntou sobre a vizinhança, e acredito que ele tenha entendido algo e escreveu em uma anotação o que o senhor tem em casa, Mestre Reginald. E então ele deu a ordem, e o bosque foi derrubado. Eles faziam todo o trabalho durante o dia, eu me lembro, e nunca ficavam lá depois das três horas.

— Eles não encontraram nada para explicar isso, Mitchell? Sem ossos ou nenhuma coisa desse tipo?

— Absolutamente nada, Mestre Reginald. Apenas a marca de uma cerca viva e vala ao longo do meio, muito sobre onde corre agora a cerca viva. E com todo o trabalho que fizeram, se alguém tivesse sido enterrado ali, eles o teriam encontrado. Mas não sei se ajudou muito, afinal. As pessoas aqui parecem não gostar mais do lugar do que antes.

— Foi isso que notei com Mitchell — disse Philipson. — E, no que diz respeito a qualquer explicação, isso nos deixa exatamente onde estávamos. Preciso ver se não consigo encontrar essa anotação.

— Por que seu pai nunca lhe contou sobre o trabalho? — perguntei.

— Ele morreu antes que eu fosse para a escola, o senhor sabe, e imagino que ele não quisesse assustar crianças com essa história. Lembro-me de ter sido sacudido e de ter tomado uma surra de minha babá por correr naquela clareira em direção ao bosque quando estávamos voltando bem no final de uma tarde de inverno, mas durante o dia ninguém interferia em nossa ida para o bosque se desejássemos. Eu que nunca desejei.

— Hm! — E então perguntei: — O senhor acha que conseguirá encontrar aquela anotação que seu pai escreveu?

— Sim — respondeu ele. — Eu consigo. Imagino que não esteja mais longe do que aquele armário atrás do senhor. Há um pacote ou dois de coisas especialmente postas de lado, a maioria das quais já examinei várias vezes, e sei que há um envelope com a etiqueta Bosque Betton; mas, como não havia mais um Bosque Betton, nunca pensei que valeria a pena deixar um tempo para abri-lo. Então, nunca abri. Faremos agora, no entanto.

— Antes que o faça — eu disse (ainda estava relutante, mas pensei que talvez fosse o momento de minha revelação) —, é melhor dizer que acho que Mitchell estava certo quando duvidou que a eliminação do bosque tivesse sido a ação correta.

E eu dei o relato que o senhor já ouviu; não preciso dizer que Philipson estava interessado.

— Ainda está lá? — perguntou ele. — Isso é realmente assombroso! Olhe aqui, o senhor vem comigo agora para ver o que acontece?

— Não farei tal coisa — respondi. — E, se o senhor conhecesse a sensação, ficaria feliz em caminhar dez milhas na direção oposta. Não fale nisso. Abra seu envelope, e vamos ouvir o que seu pai descobriu.

Ele o fez e leu para mim as três ou quatro páginas de anotações que continha. No topo estava escrito um lema de *Glenfinlas* de Scott, que me pareceu bem escolhido:

"Por onde anda, dizem eles, o fantasma que grita."

Em seguida, houve anotações de sua conversa com a mãe de Mitchell, das quais extraio apenas isto: "Eu perguntei a ela se nunca pensou ter visto algo para explicar os sons que ouvira. Ela me contou, não mais do que uma vez, na noite mais escura em que atravessou o bosque, que pareceu forçada a olhar para trás quando o farfalhar veio dos arbustos. Ela pensou ter visto algo todo em farrapos, com os dois braços estendidos na frente, vindo muito rápido, e com isso ela correu para a escada e depois disso rasgou todo o seu vestido para esquecê-lo".

Então ele foi até duas outras pessoas que achou muito tímidas para falar. Pareciam pensar, entre outras coisas, que isso refletia descrédito na região. No entanto, uma mulher, Sra. Emma Frost, foi convencida a repetir o que sua mãe lhe contara. "Dizem que foi uma senhora com um título que se casou duas vezes, e seu primeiro marido se chamava Brown, ou poderia ter sido Bryan". ("Sim, havia Bryans na Corte antes de entrar em nossa família", pontuou Philipson.) "E ela removeu o marco de seu vizinho. Ela ao menos pegou um pedaço do melhor pasto na região de Betton, que pertencia por direito a duas crianças, mas, como não tinham ninguém para falar por elas... Eles dizem que anos depois ela foi de mal a pior e fez documentos falsos para ganhar milhares de libras em Londres. Finalmente eles foram acusados em lei pela farsa, e ela teria sido julgada e condenada à morte, da qual ela escapou por algum tempo. Porém, ninguém pode evitar a maldição que foi lançada sobre eles por remover o marco, e então presumimos que ela não foi capaz de deixar Betton antes que alguém o pegasse e colocasse novamente."

No final da anotação havia uma nota a esse respeito. "Lamento não poder encontrar nenhuma pista dos proprietários anteriores dos campos adjacentes ao bosque. Não hesito em dizer que, se pudesse descobrir seus representantes, faria o possível para indenizá-los pelo mal que lhes foi feito em anos passados, pois é inegável que o bosque está curiosamente perturbado da maneira descrita pelas pessoas do lugar. Em minha atual ignorância da extensão da terra indevidamente apropriada, e dos legítimos proprietários, estou reduzido a manter uma nota separada dos lucros derivados dessa parte da propriedade. Meu costume tem sido aplicar a soma que representaria a produção anual de cerca de cinco acres para o benefício comum da região e para fins de caridade. E espero que aqueles que venham depois considerem adequado continuar tal prática."

Chega de anotações do velho Sr. Philipson. Para aqueles que, como eu, são leitores dos Julgamentos do Estado, isso terá sido o bastante para elucidar a situação. Eles se lembrarão de como, entre os anos 1678 e 1684, Sra. Ivy, anteriormente Theodosia Bryan, foi alternadamente parte e réu em uma série de julgamentos nos quais ela tentava estabelecer uma ação contra o Reitor e a Paróquia de St. Paul por uma considerável e muito valiosa área de terra em Shadwell. Sabe como, no último desses julgamentos, presidido pelo Senhor Juiz e Oficial de Justiça Jeffreys, foi provado ao máximo que os atos em que ela baseou sua reivindicação foram falsificações executadas sob suas ordens, e sabe como, depois que uma informação por perjúrio e falsificação foi emitida contra ela, ela desapareceu completamente. Tão completamente, na verdade, que nenhum especialista jamais foi capaz de dizer o que lhe sucedera. A história que contei não sugere que ela ainda pode ser ouvida na cena de uma de suas façanhas anteriores e mais bem-sucedidas?

Meu amigo ergueu a cabeça e disse dobrando os papéis:
— Isso é um registro muito fiel de minha única experiência extraordinária. E agora...

Mas eu tinha tantas perguntas que fazer-lhe, como, por exemplo, se seu amigo havia encontrado o proprietário adequado do terreno, se ele havia feito alguma coisa a respeito da cerca viva, se os sons já foram ouvidos agora, qual era o título e a data exatos de seu panfleto, etc., etc.

A hora de dormir chegou e passou sem que ele tivesse a oportunidade de voltar à *Coluna Literária* do *The Times*.

[Graças às pesquisas de Sir John Fox, em seu livro *The Lady Ivie's Trial* (Oxford, 1929), agora sabemos que minha heroína morreu em sua cama em 1695, tendo sido, Deus sabe como, absolvida da falsificação, pela qual ela sem dúvida fora responsável.]

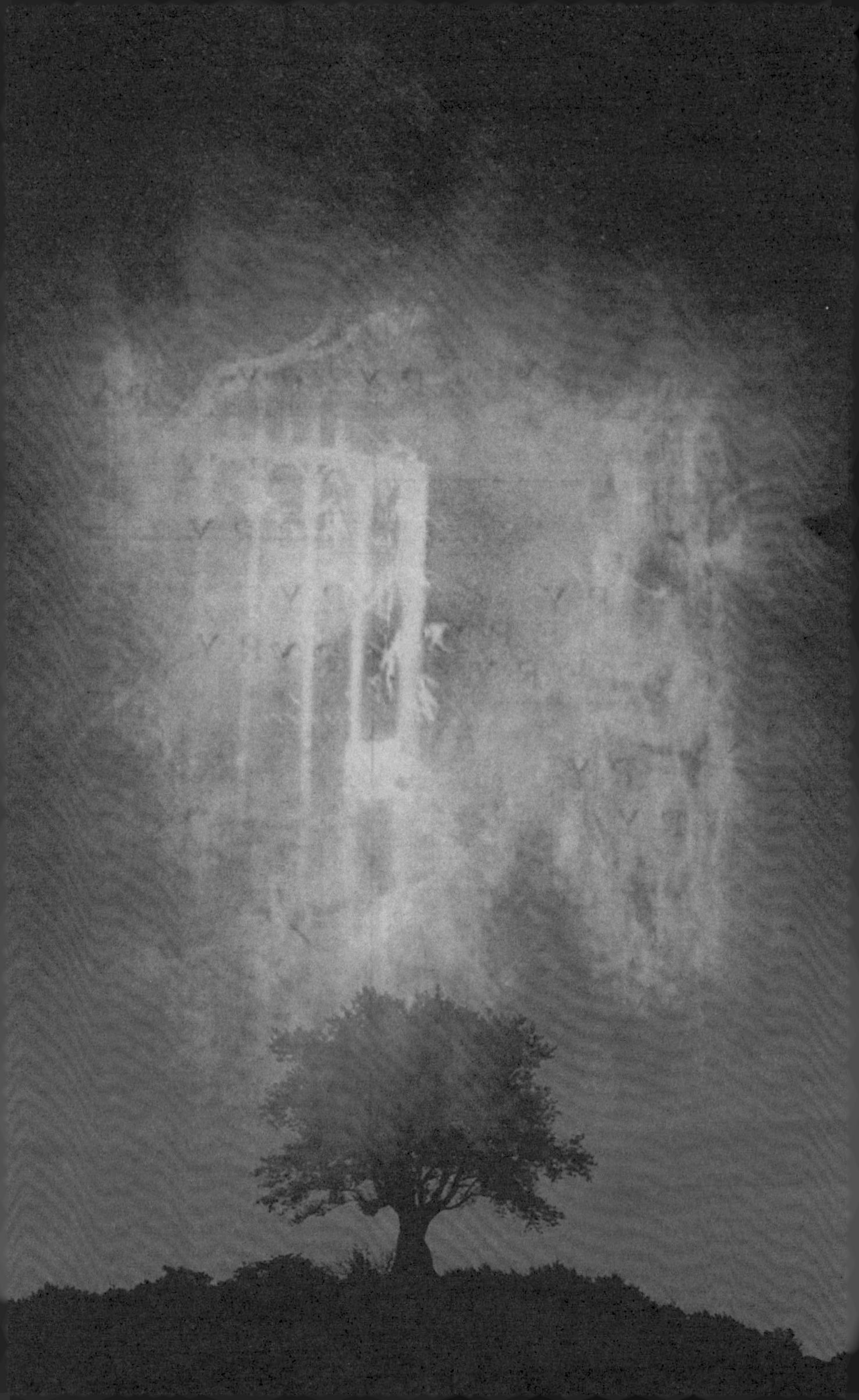

A VISTA DE UMA COLINA

Como pode ser agradável estar sozinho em um vagão de trem de primeira classe, no primeiro dia de um feriado que deve ser bastante longo, e perambular por um pedaço de cidade britânica pouco familiar, parando em todas as estações, ter um mapa aberto em seus joelhos e selecionar as vilas que ficam à direita e à esquerda das torres das igrejas. Maravilhar-se com a completa imobilidade que acompanha as paradas nas estações, quebrada apenas por um passo sobre o cascalho. No entanto, talvez seja melhor experimentá-lo após o pôr do sol, e o viajante que tenho em mente fazia seu progresso vagaroso em uma tarde ensolarada nesta última metade de junho.

Ele estava nas profundezas do país. Não preciso especificar mais do que dizer que, feita uma divisão do mapa da Inglaterra em quatro partes, ele teria sido encontrado no sudoeste delas.

Ele era um homem com atividades acadêmicas, e seu prazo havia acabado. Ele estava a caminho de encontrar um novo amigo, mais velho que ele. Os dois se conheceram primeiro em uma investigação oficial na cidade, descobriram que tinham muitos gostos e hábitos em comum, gostavam um do outro, e o resultado foi um convite do Escudeiro Richards a Sr. Fanshawe, que agora estava sendo consumado.

A viagem terminou por volta das cinco horas. Fanshawe foi informado por um alegre bagageiro da cidade de que o carro da mansão tinha subido para a estação e deixou uma mensagem de que algo deveria ser buscado meia milha adiante. Perguntava se o cavalheiro poderia esperar alguns minutos até que voltasse, e logo continuou o bagageiro:

— Mas eu vejo, já que o senhor tem sua bicicleta, muito provavelmente achará mais agradável pedalar sozinho até a mansão. Siga em frente na estrada e depois vire primeiro para a esquerda; não são mais de duas milhas. Verei como as coisas do senhor serão colocadas no carro. Desculpe-me por mencionar isso, mas pensei que fosse uma boa noite para um passeio. Sim, senhor, clima muito favorável para os trabalhadores do campo. Deixe-me ver, aqui está sua bicicleta. Obrigado, senhor. Muito obrigado. O senhor não deve desviar de seu caminho, etc., etc.

As duas milhas até a mansão eram exatamente o que faltava, depois do dia no trem, para afastar a sonolência e desejar um chá. A mansão, quando avistada, também prometia exatamente o que era necessário em termos de um lugar de descanso tranquilo depois de dias sentado em comitês e reuniões universitárias. Não era muito velha nem nova e deprimente. Paredes rebocadas, janelas de guilhotina, árvores antigas e gramados lisos foram as características que Fanshawe notou ao seguir pela estrada. Escudeiro Richards, um homem corpulento de sessenta e poucos anos, esperava por ele na varanda com evidente prazer.

— Primeiro o chá — disse ele. — Ou o senhor gostaria de uma bebida mais longa? Não? Certo, o chá está pronto no jardim. Venha, eles vão conduzir seu meio de transporte. Sempre tomo chá debaixo do limoeiro perto do riacho em um dia como este.

Não era possível desejar um lugar melhor. Tarde de meio de verão, sombra e cheiro de um vasto limoeiro, água fria em movimento num raio de cinco metros. Demorou muito para que qualquer um deles sugerisse um movimento. Mas, por volta das seis, Sr. Richards sentou-se, apagou o cachimbo e disse:

— Veja, está bom o suficiente agora para pensar em um passeio? Se o senhor desejar. Muito bem. Então o que sugiro é subirmos o parque e seguirmos até a encosta, de onde poderemos contemplar a paisagem. Teremos um mapa, e mostrarei onde estão as coisas. O senhor pode ir em seu meio de transporte, ou nós podemos ir de carro, de acordo com sua vontade ou não de fazer exercício. Se o senhor estiver pronto, podemos começar agora e estar de volta bem antes das oito, é certamente muito fácil.

— Estou pronto. Porém gostaria da minha bengala. E o senhor tem binóculo? Emprestei o meu a um homem há uma semana, e ele foi embora, sabe Deus para onde, e o levou consigo.

Sr. Richards ponderou e disse:

— Sim, tenho, mas não é o tipo de coisa que eu mesmo uso, e não sei se o que tenho será útil ao senhor. Ele é antiquado e cerca de duas vezes mais pesado que os mais atuais. O senhor pode pegá-lo, mas não vou carregá-lo. A propósito, o que o senhor quer beber depois do jantar?

Os protestos de que qualquer coisa serviria foram rejeitados, e um acordo satisfatório foi alcançado no caminho para a entrada da mansão, onde Sr. Fanshawe pegou sua bengala, e Sr. Richards, depois de morder o lábio inferior, foi a uma gaveta no aparador da sala, pegou uma chave, foi até um armário na parede, abriu-o, tirou uma caixa da prateleira e colocou-a na mesa.

— O binóculo está aí — disse ele. — E há alguma forma de abri-la, mas esqueci qual é. Tente o senhor.

Sr. Fanshawe então tentou. Não havia uma abertura de fechadura, e a estrutura era sólida, pesada e lisa. Parecia óbvio que alguma parte dela teria de ser pressionada antes que algo pudesse acontecer.

— Os cantos são os lugares prováveis — disse ele a si mesmo. — E são cantos infernalmente afiados também — acrescentou ao colocar o polegar na boca após exercer força em um canto inferior.

— O que há? — perguntou o escudeiro.

— Ora, sua horrorosa caixa dos Borgia me arranhou, droga — disse Fanshawe.

O escudeiro riu insensivelmente e disse:

— Bem, o senhor conseguiu abrir de qualquer maneira.

— Exatamente! Bem, não me importo com uma gota de sangue por uma boa causa, e aqui está o binóculo. Ele *é* muito pesado, como o senhor disse, mas acho que sou capaz de carregá-lo.

— Pronto? — perguntou o escudeiro. — Venha então; vamos para o jardim.

Então assim o fizeram e entraram no parque, que se inclinava decididamente para cima até a colina que, como Fanshawe vira do trem, dominava a paisagem. Foi um estímulo de uma gama maior que ficou para trás. No caminho, o escudeiro, que era bom na observação do terreno, apontou vários pontos em que detectou ou imaginou vestígios de fossos de guerra e similares.

— E aqui é a Vila Romana de Baxter — disse ele, parando em um terreno mais ou menos nivelado com um anel de grandes árvores.

— Baxter? — perguntou Sr. Fanshawe.

— Eu esqueci. O senhor não sabe sobre ele. Ele era o velho de quem eu ganhei aqueles óculos. Eu acredito que ele os tenha feito. Ele era um velho relojoeiro do vilarejo, um grande antiquário. Meu pai deu-lhe permissão para fazer buscas onde quisesse e, quando fazia uma descoberta, costumava emprestar-lhe um ou dois homens para ajudá-lo a cavar. Ele juntou um monte de coisas surpreendentes, e, quando morreu, ouso dizer que foi há dez ou quinze anos, comprei o lote inteiro e dei-o para o museu da cidade. Vamos até lá em um destes dias e as examinaremos todas. Os óculos vieram até mim com o resto, mas é claro que fiquei com eles. Se olhar para eles, verá que são mais ou menos um trabalho amador, a armação dele, naturalmente. As lentes não foram feitas por ele.

— Sim, vejo que são simplesmente obras de algo que um trabalhador inteligente de diferentes ramos de negócios poderia produzir. Mas não vejo por que ele o fez tão pesado. E Baxter realmente encontrou uma Vila Romana aqui?

— Sim, há uma terra com relva, onde estamos parados. Era muito áspera e simples para valer a pena removê-la, mas é claro que há desenhos dele; e as pequenas coisas e a cerâmica que apareceram eram muito boas em seus tipos. Um sujeito engenhoso era o velho Baxter. Ele parecia ter um instinto bastante excessivo para essas coisas. Ele foi inestimável para nossos arqueólogos. Ele costumava fechar sua loja por dias a fio e vagar pelo distrito, marcando os lugares onde sentia o cheiro de qualquer coisa no mapa militar. E ele manteve um livro com anotações muito completas dos lugares. Desde sua morte, muitas delas foram exploradas, e sempre havia algo para justificá-las.

— Que ótimo homem! — exclamou Sr. Fanshawe.

— Ótimo? — disse o escudeiro ao parar bruscamente.

— Eu diria útil para ter em um lugar — disse Sr. Fanshawe. — Mas ele era um homem maldoso?

— Eu também não sei — disse o escudeiro —, porém tudo o que posso dizer é que, se ele era bom, não tinha sorte. E ele não era muito agradável — acrescentou, depois de um momento. — Eu não gostava dele.

— Ah? — fez Fanshawe interrogativamente.

— Não, eu não gostava, mas chega de Baxter. Além disso, esta é a parte mais difícil, e não quero falar e andar ao mesmo tempo.

Na verdade, estava quente, e subiam uma encosta de grama escorregadia naquele fim de tarde.

— Eu disse que deveria levá-lo pelo caminho mais curto, e gostaria de não ter feito isso — disse o escudeiro, ofegante. — No entanto, um banho não nos fará mal nenhum quando voltarmos. Aqui estamos nós, e aqui está o banco.

Um pequeno aglomerado de velhas árvores escocesas coroava o topo da colina e, na borda dela, comandando a ponta da vista, havia um banco largo e sólido, no qual os dois se acomodaram, enxugaram as sobrancelhas e recuperaram o fôlego.

— Agora, então, é aqui que entram seus óculos — disse o escudeiro, assim que estava em condições de falar diretamente. — Mas é melhor que o senhor dê uma olhada geral primeiro. Nossa! Nunca vi essa paisagem parecer mais bonita.

Escrevendo como estou agora, com um vento de inverno batendo contra as janelas escuras e um mar agitado e revolto por centenas de jardas, acho difícil expressar os sentimentos e palavras que colocarão meu leitor diante do entardecer de junho e da bela paisagem britânica da qual falava o escudeiro.

Do outro lado da ampla planície, eles avistaram cadeias de grandes colinas, cujas terras altas, algumas verdes, outras cobertas de bosques, recebiam a luz de um sol poente, mas ainda não baixo. E toda a planície era fértil, embora o rio que a atravessasse não fosse visto de lugar algum. Havia matas, trigo verde, arbustos e pastagens. A pequena nuvem branca e compacta em movimento marcava o trem do fim da tarde. Então os olhos observaram fazendas vermelhas e casas cinzentas, e, mais perto de casas espalhadas, a Mansão, encostada na colina. A fumaça das chaminés era muito azul e direta. Havia um cheiro de feno no ar, e havia rosas silvestres em arbustos próximos. Era o auge do verão.

Após alguns minutos de contemplação silenciosa, o escudeiro começou a apontar as características principais, as colinas e vales, e disse onde ficavam as cidades e vilarejos.

— Agora, com os óculos, o senhor poderá distinguir a Abadia de Fulnaker — disse ele. — Siga uma direção através daquele grande campo verde, depois sobre o bosque além dele, e em seguida sobre a fazenda na colina.

— Sim, sim — concordou Fanshawe. — Entendi. Que bela torre!

— O senhor deve ter seguido a direção errada — disse o escudeiro. — Não há uma torre por lá, de que eu me lembre. A menos que o senhor tenha visto a igreja Oldbourne. E, se chama isso de bela torre, ficará facilmente satisfeito.

— Bem, eu a chamo de uma bela torre, seja Oldbourne, seja qualquer outra — disse Fanshawe com os óculos ainda nos olhos. — E deve pertencer a uma igreja maior; parece-me uma torre central com quatro grandes pináculos nos cantos e quatro menores entre eles. Certamente devo ir até lá. Fica a que distância?

— Oldbourne fica a cerca de nove milhas ou menos — disse o escudeiro. — Faz muito tempo que não vou até lá, mas não me lembro de ter pensado muito nisso. Agora vou mostrar outra coisa.

Fanshawe havia baixado os óculos e ainda olhava na direção de Oldbourne.

— Não — disse ele —, não consigo ver nada a olho nu. O que o senhor ia mostrar-me?

— Muito mais à esquerda, não deve ser difícil de encontrar. O senhor vê a elevação repentina de uma colina com um denso bosque no topo? Está em um ponto morto com aquela única árvore no topo da grande colina.

— Sim — disse Fanshawe. — E acredito que poderia dizer ao senhor sem muita dificuldade como se chama.

— O senhor poderia adivinhar agora? — perguntou o escudeiro. — Diga!

— Ora, Colina da Forca — foi a resposta.

— Como o senhor adivinhou isso?

— Bem, se não quisesse fazer-me adivinhar, o senhor não deveria mostrar-me uma forca e um homem pendurado nela.

— Como assim? — perguntou abruptamente o escudeiro. — Não há nada naquela colina além de árvores.

— Pelo contrário — discordou Fanshawe. — Há uma grande extensão de grama no topo e sua forca no meio. E pensei que havia algo nela quando olhei pela primeira vez. Mas vejo que não há nada. Ou há? Não posso ter certeza.

— Bobagem, bobagem, Fanshawe; não existe essa forca ou qualquer outro tipo de coisa naquela colina. E é um bosque denso, uma plantação bastante jovem. Eu mesmo estive nela há menos de um ano. Passe-me o binóculo, de qualquer modo. Acho que não consigo ver nada. — Depois de uma pausa: — Não, sabia que não. Eles não mostrariam nada.

Enquanto isso, Fanshawe examinava a colina; poderia estar a apenas duas ou três milhas de distância.

— Bem, é muito estranho — disse ele. — Parece exatamente um bosque, sem os óculos. — Ele os pegou novamente. — Esse é um dos efeitos mais estranhos. A forca é perfeitamente plana, e o gramado também. Parece até haver pessoas nele, e carroças, ou *uma* carroça, com homens dentro. Mesmo assim, quando tiro os óculos, não há nada. Deve ser algo no modo como a luz desta tarde ilumina. Devo observar no início do dia, quando o sol estiver forte.

— O senhor disse que viu pessoas e uma carroça naquela colina? — perguntou o escudeiro, incrédulo. — O que eles estariam fazendo lá a esta hora do dia, mesmo que as árvores tivessem sido derrubadas? Fale com sensatez e olhe de novo.

— Bem, certamente pensei que tivesse visto. Sim, devo dizer que havia algumas pessoas, apenas para deixar claro. E agora, por Deus, parece mesmo que há algo pendurado na forca. Mas esses óculos são tão terrivelmente pesados que não sou capaz de segurá-los por muito tempo. De qualquer forma, pode acreditar em mim, não há bosque. E, se o senhor me mostrar a estrada no mapa, irei até lá amanhã.

O escudeiro pensou por algum tempo. Por fim, levantou-se e disse:

— Bem, acho que essa será a melhor maneira de resolver o problema. E agora é melhor voltarmos. Banho e jantar é minha ideia.

E durante a volta não foi muito comunicativo.

Eles voltaram pelo jardim e foram até o vestíbulo tirar os gravetos das roupas, etc., em seu devido lugar. E aqui eles encontraram o velho mordomo Patten evidentemente em um estado de alguma ansiedade.

— Perdão, Mestre Henry... — começou ele de imediato. — Mas temo que alguém tenha pregado peças por aqui. Estou com muito medo.

Ele apontou para a caixa aberta que continha os óculos.

— Nada além disso, Patten? — perguntou o escudeiro. — Não posso pegar meus próprios óculos e emprestá-los a um amigo? Comprei com meu próprio dinheiro, lembra? Na venda do velho Baxter, não?

Patten fez uma reverência, não convencido.

— Oh, muito bem, Mestre Henry, contanto que saiba quem foi. Só que achei apropriado dizer, pois não achei que aquela caixa pudesse sair da prateleira desde que o senhor a colocou lá pela primeira vez. Se me dão licença, depois do que houve...

A voz era baixa, e o resto não foi audível para Fanshawe. O escudeiro respondeu com algumas palavras e uma risada rouca, pediu que Fanshawe se aproximasse e mostrou seu quarto. E eu não acho que mais nada tenha acontecido naquela noite com relação ao que narro em minha história.

Exceto, talvez, a sensação que invadiu Fanshawe, nas pequenas horas, de que algo tinha sido deixado de lado, e não deveria ter sido deixado de lado. Isso entrou em seus sonhos. Ele caminhava por um jardim que parecia conhecer parcialmente e parou em frente a um canteiro de pedras feito de velhas pedras trabalhadas, pedaços de rendilhado de janela de uma igreja e até pedaços de figuras. Uma delas aflorou sua curiosidade, parecia ser uma escultura principal com cenas esculpidas nela. Ele sentiu que deveria retirá-la e levá-la para longe, e, com uma facilidade que o surpreendeu, moveu as pedras que a cobriam para o lado e puxou o bloco. Ao fazer isso, uma placa de lata caiu a seus pés com um pequeno barulho. Ele a pegou e leu:

Em hipótese alguma mova esta pedra.
Atenciosamente, J. Patten.

Como muitas vezes acontece nos sonhos, ele sentiu que esta liminar era de extrema importância; e, com uma ansiedade que equivalia à angústia, olhou para ver se a pedra tinha realmente sido deslocada. Tinha sido de fato. Na verdade, ele não podia vê-la em lugar algum. A remoção tinha revelado a abertura de um buraco, e ele se abaixou para olhar dentro dele.

Havia algo agitado na escuridão; e então, para seu horror intenso, uma mão emergiu, uma limpa mão direita em um punho elegante e manga de casaco, apenas na atitude de uma mão que deseja apertar a sua. Ele se perguntou se não seria rude ignorá-la. Porém, quando olhou para ela, começou a ficar peluda, suja e magra, também a mudar de pose e a esticar-se como se fosse segurar sua perna. Ali caiu por terra todo seu pensamento de polidez e decidiu correr, e logo gritou e acordou a si mesmo.

Esse foi o sonho do qual se lembrou, mas pareceu-lhe (como, novamente, muitas vezes ocorre) que havia outros da mesma forma antes, mas não tão insistentes. Ele ficou acordado por algum tempo, fixando os detalhes do último sonho em sua mente e perguntando-se em particular quais teriam sido as figuras que ele tinha visto ou quase visto na escultura principal. Algo totalmente incongruente, ele tinha certeza, mas era o máximo que conseguia lembrar.

Seja por causa do sonho, seja por ser o primeiro dia de suas férias, ele não se levantou muito cedo nem mergulhou imediatamente na exploração do local. Passou uma manhã, meio preguiçoso, meio instrutivo, examinando os volumes das *Transações da Sociedade Arqueológica do Condado*, em que havia muitas contribuições de Sr. Baxter sobre a descoberta de instrumentos de pedra, sítios romanos, ruínas de estabelecimentos monásticos — na verdade, a maioria dos departamentos de arqueologia. Eles eram escritos em um estilo estranho, pomposo, apenas um pouco educado.

Se o homem tivesse estudado mais, pensou Fanshawe, ele teria sido um antiquário muito importante. Ele poderia ter sido (assim ele qualificou sua opinião um pouco mais tarde), mas por um certo amor à oposição e à polêmica, e, sim, um tom paternalista como de quem possui um conhecimento superior, que deixou um sabor desagradável. Ele pode ter sido um artista muito respeitável. Houve uma restauração imaginária e elevação de um convento da igreja que foi muito bem concebida. Uma bela torre central com pináculos era uma característica notável disso e fez Fanshawe lembrar-se daquilo que vira da colina e que o escudeiro lhe dissera que devia ser Oldbourne. Mas não era Oldbourne; era o Priorado Fulnaker.

— Ah, bem — disse para si mesmo —, suponho que a igreja de Oldbourne pode ter sido construída por monges de Fulnaker, e Baxter copiou a torre de Oldbourne. Algo sobre isso na impressão tipográfica? Ah, vejo que foi publicada após sua morte e foi encontrada entre seus documentos.

Depois do almoço, o escudeiro perguntou a Fanshawe o que queria fazer.

— Bem — disse Fanshawe —, acho que vou sair de bicicleta por volta das quatro até Oldbourne e voltar pela Colina da Forca. Deve ser um caminho com cerca de quinze milhas, não é?

— Algo assim — disse o escudeiro. — E vai passar por Lambsfield e Wanstone, ambos os quais valem a pena visitar. Há um pouco de vidro em Lambsfield e a pedra em Wanstone.

— Ótimo — disse Fanshawe. — Vou tomar chá em algum lugar. Posso levar os óculos? Vou prendê-los na minha bicicleta, no suporte.

— Claro, se quiser — disse o escudeiro. — Eu realmente deveria ter alguns melhores. Se eu for para a cidade hoje, vejo se consigo encontrar algum.

— Por que deve dar-se trabalho de fazer isso se o senhor não pretende usá-los? — perguntou Sr. Fanshawe.

— Oh, eu não sei. Deve haver um par decente e... Bem, o velho Patten não acha que esses sejam adequados para uso.

— Ele é algum juiz?

— Ele tem uma história. Não sei, algo sobre o velho Baxter. Eu prometi deixá-lo contar-me sobre isso. Parece não sair de sua cabeça desde ontem à noite.

— Por quê? Ele teve algum pesadelo como eu?

— Ele tinha algo. Ele parecia um velho homem esta manhã e disse não ter conseguido dormir.

— Bem, faça-o guardar sua história até eu voltar.

— Muito bem, assim o farei. Diga-me, o senhor pretende chegar muito tarde? Se o senhor tiver um furo a oito milhas e tiver de caminhar para casa, o que acontecerá? Não confio nessas bicicletas. Vou dizer que preparem coisas frias para comer.

— Não vou importar-me com isso, esteja atrasado ou adiantado. Mas tenho coisas para consertar os furos. E agora estou indo.

Foi bom que o escudeiro tivesse feito aquele acordo sobre um jantar frio, pensou Fanshawe, e não pela primeira vez, enquanto empurrava sua bicicleta pela estrada por volta das nove horas. Assim também o escudeiro pensou e disse, várias vezes, ao encontrá-lo na mansão, mais satisfeito com a confirmação de sua falta de fé nas bicicletas do que solidário com seu amigo suado, cansado, com sede e realmente abatido. Na verdade, a coisa mais gentil que encontrou para dizer foi:

— O senhor vai querer um longo drinque esta noite? Um copo de cidra? Tudo bem. Ouviu isso, Patten? Um copo de cidra com gelo, muito gelo. — Depois, dirigindo-se a Fanshawe: — Não fique a noite toda no banho.

Por volta das nove e meia, eles jantavam, e Fanshawe relatava o progresso, se é que é possível chamar de progresso.

— Cheguei a Lambsfield muito bem e vi os vidros. É muito interessante, mas há muitas escrituras que não fui capaz de ler.

— Nem com óculos? — perguntou o escudeiro.

— Esses seus óculos não servem para nada dentro de uma igreja, e suponho que nem dentro de qualquer outro lugar, por falar nisso. Mas os únicos lugares para os quais os levei foram igrejas.

— Hm! Bem, continue — pediu o escudeiro.

— No entanto, tirei uma espécie de fotografia da janela, e ouso dizer que uma ampliação mostraria o que quero. Depois cheguei a Wanstone. Eu deveria pensar que aquela pedra era uma coisa muito importante, porém não conheço essa classe de antiguidades. Alguém abriu a fossa em que ela está?

— Baxter queria, mas o fazendeiro não lhe permitiu.

— Ah, bem, acho que valeria a pena fazê-lo. De qualquer forma, a próxima coisa foi Fulnaker e Oldbourne. Sabe, é muito estranha aquela torre que vi da colina. A igreja de Oldbourne não tem nada que ver com isso, e, claro, não há nada com mais de dez metros de altura em Fulnaker, embora o senhor tenha podido ver que havia uma torre central. Eu não disse ao senhor, disse? O desenho extravagante de Baxter de Fulnaker mostra uma torre exatamente como a que eu vi.

— Então o senhor imaginou, ouso dizer — pontuou o escudeiro.

— Não, não foi uma questão para imaginar. A foto realmente *me lembrou* do que eu havia visto, e certifiquei-me de que era Oldbourne, bem antes de olhar o título.

— Bem, Baxter tinha uma ideia muito boa de arquitetura. Atrevo-me a dizer que o que sobrou tornou mais fácil para ele desenhar o tipo certo de torre.

— Pode ser isso, é claro, mas tenho dúvidas se até mesmo um profissional poderia ter feito tudo com tamanha exatidão. Não resta absolutamente nada em Fulnaker, exceto as bases dos pilares que a sustentavam. No entanto, essa não é a coisa mais estranha.

— E quanto à Colina da Forca? — perguntou o escudeiro. — Aqui, Patten, ouça isso. Eu disse ao senhor que Sr. Fanshawe disse o que havia visto da colina.

— Sim, Mestre Henry, o senhor disse. E não posso dizer que fiquei tão surpreso ao ouvir.

— Tudo bem, tudo bem. Guarde isso até mais tarde. Também queremos ouvir o que Sr. Fanshawe viu hoje. Prossiga, Fanshawe. Suponho que o senhor tenha voltado por Ackford e Thorfield?

— Sim, e examinei as duas igrejas. Então eu cheguei à curva que leva ao topo da Colina da Forca. Percebi que, se empurrasse minha bicicleta sobre o campo no topo da colina, poderia alcançar a estrada para casa neste lado. Eram cerca de seis e meia quando cheguei ao topo da colina; e havia um portão à minha direita, onde aquilo deveria estar, que levava para a faixa de plantação.

— Está ouvindo isso, Patten? Uma faixa, ele diz.

— Então pensei que fosse… uma faixa. Mas não era. O senhor estava certo, e eu estava totalmente errado. Não *consigo* entender isso. Todo o topo é um bosque muito denso. Bem, entrei neste bosque, empurrando e arrastando minha bicicleta, esperando a cada minuto chegar a uma clareira, e então meus infortúnios começaram. Espinhos, suponho. Primeiro percebi que o pneu dianteiro estava esvaziando e depois o traseiro. Não pude parar para fazer mais do que tentar encontrar os furos e marcá-los. Porém até isso era inútil. Então, continuei avançando e, quanto mais longe ia, menos gostava do lugar.

— Não há muita caça furtiva nesse local, não, Patten? — perguntou o escudeiro.

— Não, de fato, Mestre Henry. Há muito poucos interesses para ir...

— Não, eu sei. Não importa agora. Prossiga, Fanshawe.

— Eu não culpo ninguém por não se interessar em ir até lá. Eu sei que tinha todas as fantasias que menos agradavam a mim, como passos estalando sobre a terra atrás, pessoas indistintas andando atrás de árvores na minha frente, sim, e até mesmo uma mão colocada em meu ombro. Pulei intensamente e olhei em volta, mas realmente não havia nenhum galho ou arbusto que pudesse ter feito isso. Então, quando eu estava apenas mais ou menos no centro do caminho, estava convencido de que havia alguém olhando para mim de cima, e não com uma intenção agradável. Parei novamente, ou pelo menos diminuí o passo, para olhar para cima. E como fiz, desci e corri e gritei abominavelmente. O que acha? Havia um bloco de pedra com um grande buraco quadrado no topo. E a poucos passos, havia outros dois iguais. Os três foram posicionados em um triângulo. Agora, entendem para que foram colocados ali?

— Creio que sim — respondeu o escudeiro, que agora estava muito sério e absorto na história. — Sente-se, Patten.

Estava na hora, pois o velho se apoiava em uma das mãos e se apoiava pesadamente nela. Ele se deixou cair em uma cadeira e disse com uma voz muito trêmula:

— O senhor não foi até as pedras, foi, senhor?

— Não *fui* — respondeu Fanshawe, enfaticamente. — Ouso dizer que fui um idiota, mas assim que me dei conta de onde estava, simplesmente coloquei minha bicicleta no ombro e fiz o possível para correr. Parecia-me que estava em uma espécie de cemitério profano e maligno e fiquei profundamente grato por ter sido um dos dias mais longos e estar ainda sob a luz do sol. Bem, eu tive uma corrida horrível, mesmo que fossem apenas algumas centenas de jardas. Tudo ficou preso em tudo, guidão, freios, suportes e pedais, tudo estava preso violentamente neles, ou assim imaginei. Caí pelo menos cinco vezes. Por fim vi a cerca viva e não me dei ao trabalho de procurar o portão.

— Não há portão do meu lado — interpôs o escudeiro.

— Ainda bem que não perdi tempo, então. Deixei cair a bicicleta de alguma forma e fui para a estrada quase de cabeça para baixo, e algum galho ou coisa parecida atingiu meu tornozelo no último momento. De qualquer forma, lá estava fora de perigo e não sei se mais grato ou mais dolorido. Então veio a tarefa de consertar meus furos. Eu tinha uma roupa boa e não sou nada mau no trabalho, mas esse era um caso absolutamente desesperador. Eram sete horas quando saí do bosque, e gastei cinquenta minutos sobre um pneu. Tão rápido quanto eu encontrei um buraco, coloquei um remendo e o fechei, ele ficou achatado novamente. Então decidi andar. Essa colina não fica a três milhas de distância, certo?

— Não mais que três pelo outro lado da cidade, porém mais perto de seis pela estrada.

— Pensei que deveria ser. Achei que não poderia ter suportado bem mais de uma hora em menos de cinco milhas, mesmo levando uma bicicleta. Bem, esta é a minha história. Onde está a sua e a de Patten?

— A minha? Não tenho história — disse o escudeiro. — Mas o senhor não estava muito longe ao pensar que estava em um cemitério. Deve haver alguns deles lá em cima. Não acha, Patten? Eles os deixaram lá quando caíram aos pedaços, imagino.

Patten assentiu, interessado demais para falar.

— Não — respondeu Fanshawe.

— Muito bem, Patten — disse o escudeiro. — Ouviu como esteve Sr. Fanshawe. O que acha disso? Alguma coisa ligada a Sr. Baxter? Encha-se de uma taça de vinho do porto e conte-nos.

— Ah, isso me faria bem, Mestre Henry — disse Patten, depois de compreender o que estava diante dele. — Se realmente deseja saber o que se passa em meus pensamentos, darei minha resposta clara e afirmativa. Sim — continuou ele, entusiasmado com seu trabalho —, devo dizer que a experiência de Sr. Fanshawe hoje esteve em grande parte relacionada com a pessoa mencionada. E eu acho, Mestre Henry, como tenho uma prova para falar, visto que estive muitos anos falando com ele e jurei ser o júri no inquérito do legista há cerca de dez anos, o senhor também esteve ali, se levar sua mente de volta, Mestre Henry, viajando para o exterior, e não havia ninguém ali para representar a família.

— Inquérito? — perguntou Fanshawe. — Um inquérito sobre Sr. Baxter, certo?

— Sim, senhor, sobre… Sobre essa mesma pessoa. Os fatos que levaram a essa ocorrência foram estes. O falecido era, como deve ter percebido, um indivíduo muito peculiar em seu hábitos, na minha época, pelo menos, mas todos devem falar como encontram. Ele vivia muito para si mesmo, sem crias nem filhos, como diz o ditado. E como ele faleceu, sua morte foi o que poucos puderam adivinhar.

— Ele viveu desconhecido, e poucos poderiam saber quando Baxter deixara de existir — disse o escudeiro com seu cachimbo.

— Peço perdão, Mestre Henry; já estava chegando ali. Mas, quando digo como ele faleceu, temos certeza de que sabemos como ele estava empenhado em vasculhar e saquear todo o lixo da vizinhança e a quantidade de coisas que ele conseguiu coletar e reunir... Bem, foi falado por milhas ao redor como o Museu de Baxter, e muitas vezes, quando ele estava de bom humor e eu podia ter uma hora de sobra, ele me mostrava seus pedaços de vasos e tudo o mais, voltando ao seu relato de épocas dos antigos romanos. No entanto, o senhor sabe mais sobre isso do que eu, Mestre Henry. Eu ia dizer apenas isso, pois sabe o que ele pode; e, por mais interessante que seja em sua fala, havia algo sobre o homem... Bem, em primeiro lugar, ninguém se lembra de vê-lo na igreja nem na capela durante o culto. E isso o fez falar. Nosso reitor só entrou em casa uma vez dizendo "Nunca me pergunte o que o homem disse". Isso era tudo o que alguém poderia conseguir *dele*. Então, como ele passava as madrugadas, especialmente nesta estação do ano? Vez após vez, os operários o encontravam voltando quando saíam para o trabalho, e ele passava por eles sem dizer uma palavra, parecendo, dizem eles, alguém que saiu direto do hospício. Eles veem o branco de seus olhos por toda parte. Ele teria uma cesta de peixes consigo, isso eles notaram, e sempre vinha pelo mesmo caminho. E o boato é de que ele arranjou alguns negócios, não do melhor tipo... Bem, não tão longe de onde o senhor estava às sete da noite, senhor.

E após uma breve pausa seguiu Patten:

— Bem, agora, depois de uma noite como aquela, Sr. Baxter fechou a loja, e a velha senhora que fez por ele tinha ordens para não entrar; e, sabendo o que sabia sobre sua linguagem, ela teve o cuidado de obedecer às ordens. Porém, um dia aconteceu, por volta das três horas da tarde, a casa estando fechada, como eu disse, veio uma coisa terrível para o lado de dentro, havia fumaça saindo das janelas, e Baxter gritava aparentemente em agonia. Assim, o homem que vivia na casa ao lado correu para os fundos, arrombou a porta, e vários outros entraram também. Bem, ele me disse que nunca em toda a sua vida sentiu um cheiro tão terrível... Bem, um odor como o que havia naquela cozinha. Parecia que Baxter estava fervendo algo em uma panela e espalhando em sua perna. Lá eles o deitaram no chão, tentando conter os gritos, mas foi além do que ele conseguia; e, quando viu as pessoas entrarem... Oh, ele estava em boas condições; se sua língua não empolou mais do que a perna, não foi culpa dele. Bem, eles o pegaram e o colocaram em uma cadeira, correram para o médico, um deles ia pegar a panela, e Baxter... Ele gritou que o deixassem em paz. Ele o fez, mas não conseguiu ver, pois havia algo na panela além de alguns antigos ossos marrons. Em seguida, eles disseram: "Dr. Lawrence estará aqui em um minuto, Sr. Baxter; ele logo ajudará o senhor a melhorar". E então ele ficou irritado novamente. Ele deveria ser levado ao seu quarto; não poderia deixar o médico entrar lá e ver toda aquela bagunça. Eles deveriam jogar um pano por cima, qualquer coisa, e assim o fizeram com a toalha de mesa da sala. Mas isso deve ter sido culpa de uma substância venenosa naquele pote, pois se passaram quase dois meses antes que Baxter estivesse bem. Peço perdão, Mestre Henry, o senhor ia dizer alguma coisa?

— Sim, eu ia — disse o escudeiro. — Eu me pergunto por que não me contou tudo isso antes. No entanto, eu ia dizer que me lembro do velho Lawrence dizendo-me que atendeu Baxter.

Ele era um tipo esquisito, disse ele. Lawrence estava no quarto um dia, pegou uma pequena máscara coberta de veludo preto, colocou-a divertindo-se e foi olhar seu reflexo no espelho. Ele não teve tempo para um olhar adequado, pois o velho Baxter gritou-lhe da cama: "Largue isso, seu idiota! Quer olhar através dos olhos de um homem morto?". E isso o assustou tanto, que ele a largou e logo perguntou a Baxter o que ele queria dizer. E Baxter insistiu que ele a largasse e disse que o homem de quem ele a comprou estava morto, ou algo assim sem sentido. Porém, Lawrence sentiu quando a entregou e declarou estar seguro de que era feita da frente de um crânio. Ele comprou um aparelho de destilação na venda de Baxter, ele me disse, mas nunca poderia usá-lo; parecia contaminar tudo, por mais que o limpasse. Mas continue, Patten.

E Patten seguiu:

— Sim, Mestre Henry, estou quase terminando agora, e o tempo também, pois não sei o que vão pensar de mim em relação a todos os criados. Bem, esse negócio de ferver aconteceu alguns anos antes de Sr. Baxter ser levado, e ele se moveu novamente, mas continuou como antes. E um dos últimos trabalhos que ele fez foi terminar realmente os óculos que o senhor pegou ontem à noite. Veja, ele fez a armação deles por um longo tempo e pegou os pedaços de lentes para eles, mas havia algo que queria para finalizá-los, fosse o que fosse, não sei, mas peguei a armação um dia e perguntei:

— Sr. Baxter, por que o senhor não trabalha com isso?

E ele respondeu:

— Ah, quando eu os tiver feito, o senhor ouvirá novidades... Ouvirá. Não haverá óculos como os meus quando estiverem cheios e selados.

Aí ele parou, e eu disse:

— Ora, Sr. Baxter, o senhor fala como se fossem garrafas de vinho, cheias e seladas... Ora, qual é a necessidade disso?

E ele logo perguntou:

— Eu disse cheia e selada? Oh, bem, eu estava adaptando minha conversa ao meu companheiro.

Bem, então chegou esta época do ano; e, em uma bela noite, eu passava por sua loja a caminho de casa, e ele estava parado no degrau, muito satisfeito consigo mesmo ao dizer:

— Tudo bem e firme agora. Minha melhor parte do trabalho acabou, e estarei com eles amanhã.

E logo perguntei:

— O quê? Terminou os óculos? Posso dar uma olhada neles?

E respondeu:

— Não, não. Eu os coloquei para dormir esta noite; e, quando eu mostrar a eles, o senhor terá de pagar para espiar, assim eu lhe digo.

E essas, senhores, foram as últimas palavras que ouvi aquele homem dizer.

Isso foi no dia 17 de junho, e apenas uma semana depois que uma coisa engraçada aconteceu e foi demais para isso, pois trouxemos uma "mente doentia" no inquérito, por barrar isso. Ninguém como Baxter nos negócios poderia, de qualquer maneira, ter colocado tal coisa contra ele. Porém, George Williams, como morava na casa ao lado, e ainda mora, acordou naquela mesma noite com um barulho nas instalações do Sr. Baxter; ele se levantou da cama e foi até a janela da frente na rua para ver se havia algum freguês agressivo por perto. E, sendo uma noite muito clara, ele teve certeza de que não havia.

Então se levantou para ouvir e escutou Sr. Baxter descendo a escada da frente, um degrau após o outro, muito devagar, e havia algo como alguém sendo empurrado ou puxado para baixo e agarrando-se a tudo o que podia. A próxima coisa que ele ouviu foi a porta da rua abrir-se, Sr. Baxter sair para a rua em suas roupas de dia, chapéu e tudo, com os braços estendidos ao lado do corpo, falando consigo mesmo, balançando a cabeça de um lado para o outro e caminhando daquela maneira peculiar que parecia estar indo contra sua própria vontade. George Williams abriu a janela e ouviu que ele dizia:

— Ah, misericórdia, senhores!

E então ele se calou repentinamente como se, disse ele, alguém lhe tapasse a boca com a mão e fizesse com que Sr. Baxter jogasse a cabeça para trás e seu chapéu caísse. E Williams viu seu rosto parecer lamentável, e então não pôde deixar de gritar-lhe:

— O que houve, Sr. Baxter? O senhor está bem?

E ele ia oferecer-se para buscar Dr. Lawrence, mas ouviu a resposta:

— É melhor cuidar de sua vida. Coloque isso na sua cabeça.

Porém, se foi Sr. Baxter quem disse isso de um modo tão rouco e fraco, ele nunca pôde ter certeza. Ainda não havia ninguém além dele na rua, e ainda assim Williams ficou tão chateado com a maneira como ele falou, que se encolheu na janela e foi sentar-se na cama.

E ele ouviu os passos de Sr. Baxter irem adiante ao seguir a estrada; e, depois de um minuto ou mais, ele não pôde deixar de olhar mais uma vez, e o viu seguindo pelo mesmo curioso caminho de antes. E uma coisa de que ele se lembrou foi que Sr. Baxter não havia parado para pegar o chapéu quando ele caiu, e mesmo assim estava em sua cabeça.

Bem, Mestre Henry, foi a última vez que alguém viu Sr. Baxter, pelo menos por uma semana ou mais. Muita gente disse que ele foi eliminado dos negócios ou fugiu porque se meteu em apuros, mas ele era bem conhecido a milhas de distância, e nenhum dos ferroviários nem dos taberneiros o vira. Então lagoas foram revistadas e nada foi encontrado; e, finalmente, uma noite, Fakes, o guarda, desceu da colina para o vilarejo e disse que viu a Colina da Forca repleta de pássaros pretos, e isso foi uma coisa engraçada, porque ele nunca vira nenhum sinal de uma criatura ali em sua época. Então eles se entreolharam um pouco, e o primeiro disse:

— Estou pronto para subir.

E outro respondeu:

— Eu também, se o senhor estiver.

E meia dúzia deles saíram à noite e levaram Dr. Lawrence consigo; e o senhor sabe, Mestre Henry, lá estava ele entre eles três pedras com o pescoço quebrado.

Inútil imaginar o boato que essa história desencadeou. Não é lembrada. Mas, antes de Patten os deixar, dirigiu-se a Fanshawe:

— Com licença, senhor, mas entendi que o senhor levou os óculos consigo hoje? Eu pensei ter entendido que sim. E, se me permite perguntar, o senhor fez uso deles?

— Sim. Apenas para olhar algo em uma igreja.

— Oh, de fato, o senhor os levou para a igreja, não foi, senhor?

— Sim. Era a igreja de Lambsfield. A propósito, deixei-os amarrados à minha bicicleta, infelizmente, no pátio do estábulo.

— Não importa, senhor. Posso trazê-los amanhã cedo, e talvez o senhor faça a gentileza de dar uma olhada neles.

Assim, antes do café da manhã, após um sono tranquilo e bem merecido, Fanshawe levou os óculos para o jardim e os apontou para uma distante colina. Ele os abaixou instantaneamente, olhou para cima e para baixo, mexeu nos parafusos, tentou novamente e mais uma vez, encolheu os ombros e os recolocou na mesa da sala.

— Patten, são absolutamente inúteis — disse ele. — Não consigo ver nada, é como se alguém tivesse colocado uma cobertura preta na lente.

— Estragou meus óculos, não foi? — perguntou o escudeiro. — Obrigado. Eram os únicos que tinha.

— Experimente por si mesmo — disse Fanshawe. — Eu não fiz nada com eles.

Depois do café da manhã, o escudeiro os levou para o terraço e subiu as escadas. Depois de algumas tentativas ineficazes, disse impacientemente:

— Senhor, como eles são pesados!

E no mesmo instante os derrubou nas pedras; a lente se estilhaçou, e a armação rachou. Uma pequena poça de líquido se formou na laje de pedra. Era preto como tinta, e não era possível descrever o odor que emanava dele.

— Cheios e selados, hein? — disse o escudeiro. — Se eu pudesse tocá-lo, ouso dizer que poderíamos encontrar a marca. Então foi isso que resultou de sua fervura e destilação, não é? Velho Fantasma!

— O que diabos o senhor quer dizer?

— Não consegue ver, meu bom homem? Lembra-se do que ele disse ao médico sobre olhar através dos olhos dos mortos? Bem, essa era outra maneira de fazê-lo. Mas eles não gostavam de ter os ossos fervidos, suponho, e o fim de tudo foi que o levaram para onde ele não queria. Bem, vou pegar uma pá, e enterraremos essa coisa decentemente.

Enquanto arrumavam a grama, o escudeiro, entregando a pá a Patten, que havia sido um reverente espectador, comentou com Fanshawe:

— É quase uma pena que o senhor tenha levado aquela coisa para a igreja, pode ter visto além do que havia ali. Baxter ficou com eles por uma semana, suponho, mas não vejo que tenha feito muito naquele tempo.

— Não tenho certeza — respondeu Fanshawe. — Há aquela imagem da igreja do Priorado de Fulnaker.

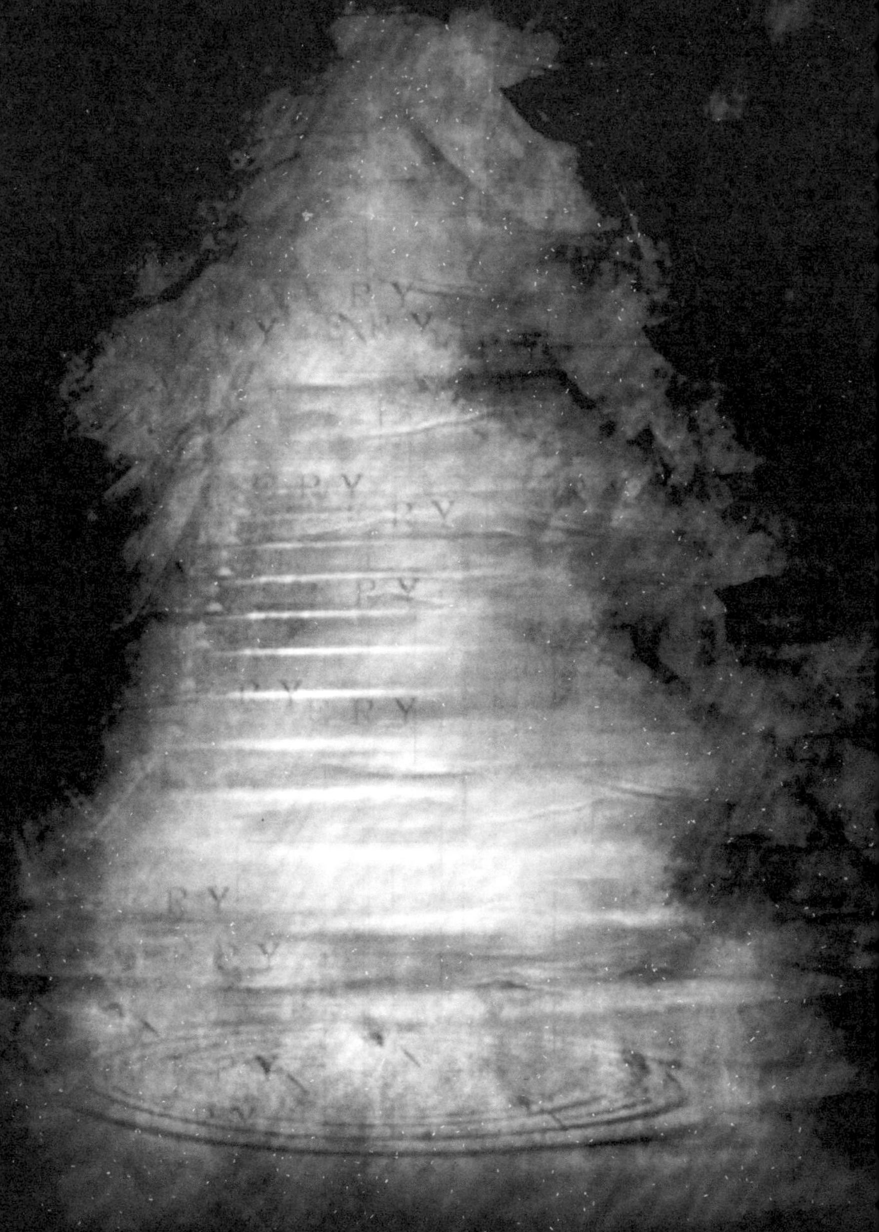

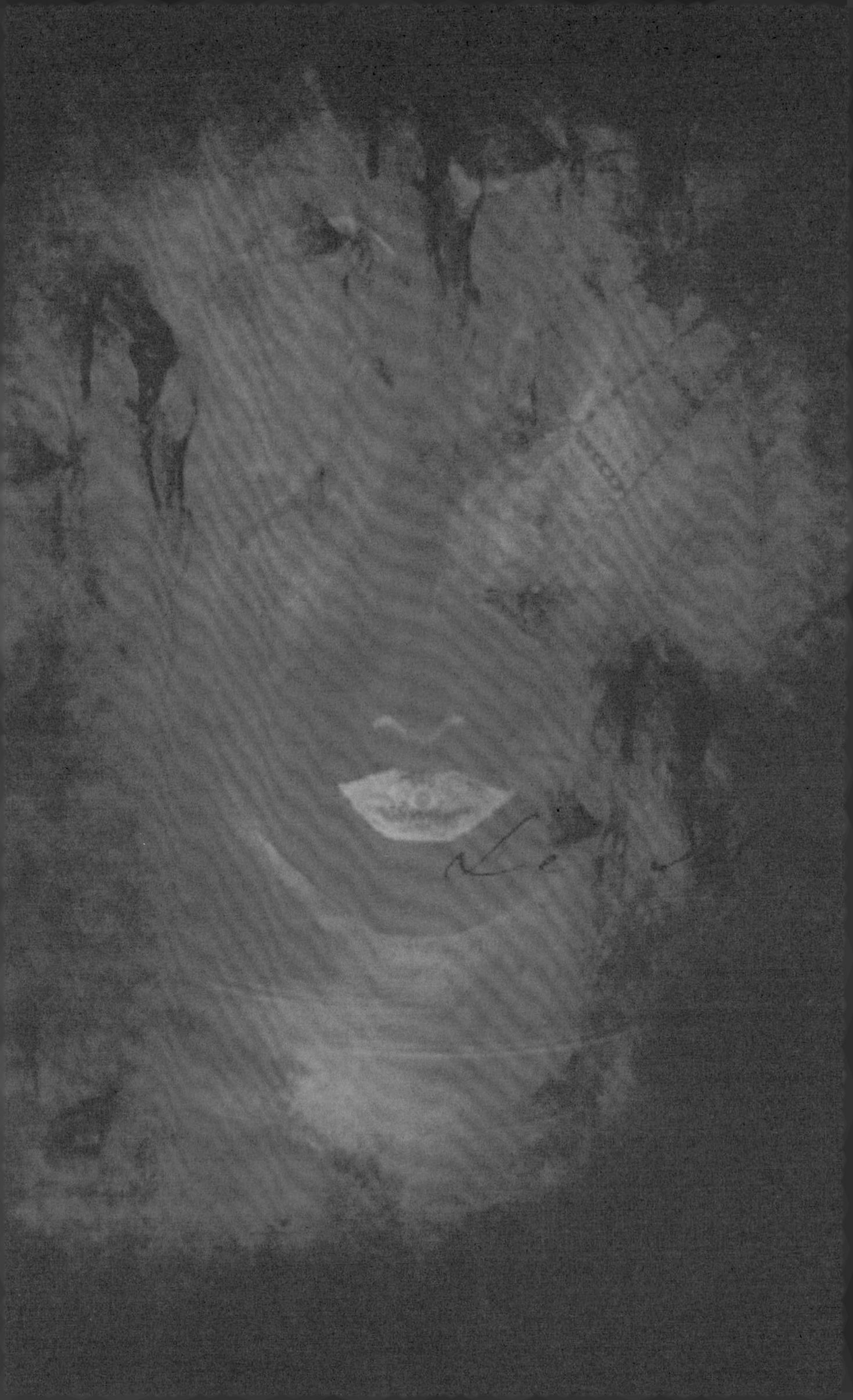

Um aviso ao curioso

O lugar na costa leste que o leitor deve considerar é Seaburgh. Não é muito diferente agora do que eu me lembro quando era criança. Pântanos cortados por diques ao sul, lembrando os primeiros capítulos de *Grandes Esperanças*, campos planos ao norte, fundindo-se à charneca. Havia a charneca, os bosques de pinheiros e, acima de tudo, o junco no interior. Uma longa orla marítima e uma rua, e atrás dela uma espaçosa igreja de pedra, com uma ampla e sólida torre ocidental e um som de seis sinos. Como me lembro bem do som deles em um domingo quente de agosto, enquanto nosso grupo subia lentamente a encosta branca e empoeirada da estrada em direção a eles, pois a igreja fica no topo de uma inclinação curta e íngreme. Eles tocavam com uma espécie de estalo baixo naqueles dias quentes; mas, quando o ar estava mais suave, eles eram também mais suaves. A ferrovia seguia até seu pequeno terminal mais adiante ao longo da mesma estrada. Havia um moinho de vento branco alegre pouco antes de chegar à estação, outro perto das pedras no extremo sul da cidade, e ainda outros em um terreno mais alto ao norte. Havia cabanas de tijolos vermelhos brilhantes com telhados de ardósia, mas por que eu incomodo o leitor com esses detalhes comuns? O fato é que eles se acumulam na ponta do lápis quando começa a escrita sobre Seaburgh. Eu gostaria de ter certeza de que permiti que as pessoas certas tivessem acesso ao escrito. Mas me esqueci. Ainda não terminei com o negócio do desenho de palavras.

Afaste-se do mar e da cidade, passe a estação e vire na estrada à direita. É uma estrada de areia, paralela à ferrovia; e, ao segui-la, ela sobe para um terreno um pouco mais alto. À sua esquerda (agora em direção ao norte) está a charneca; à sua direita (o lado voltado para o mar) está uma faixa de velhos pinheiros, castigados pelo vento, espessos no topo, com a inclinação que têm as velhas árvores à beira-mar. Ao vê-los do trem no horizonte, é possível dizer em um instante, sem saber, que se está aproximando de uma costa com vento.

Bem, no topo da minha pequena colina, uma linha desses pinheiros se estende e segue em direção ao mar, pois há uma serra que segue nessa direção. A serra termina em um monte bastante bem definido dominando os campos planos de grama áspera, e um pequeno círculo de pinheiros o coroa. E aqui você pode sentar-se em um dia de primavera quente, muito satisfeito em observar o mar azul, os moinhos de vento brancos, as cabanas vermelhas, a grama verde brilhante, a torre da igreja e a torre de defesa distante ao sul.

Como já disse, comecei a conhecer Seaburgh ainda criança, mas um intervalo de muitos anos separa meu conhecimento inicial daquele que é mais recente. Ainda assim, ela mantém seu lugar em minhas afeições, e qualquer história que eu encontre ali tem um interesse para mim. Uma dessas histórias é a seguinte, que veio até mim em um lugar muito remoto de Seaburgh, bem acidentalmente e de um homem a quem eu pude agradar, o suficiente em sua opinião, para justificar que me tornasse seu confidente até este ponto.

— Eu conheço todo aquele local mais ou menos — disse ele. — Eu costumava ir a Seaburgh para jogar golfe regularmente na primavera. Eu geralmente me hospedava no Bear com um amigo. Era Henry Long, talvez o senhor o conhecesse.
— Um pouco — eu disse.
— E costumávamos ficar numa sala de estar e ser muito felizes por lá. Desde que ele morreu, não me importei em ir até lá. E eu não sei se deveria, de qualquer forma, após o fato peculiar que ocorreu em nossa última visita.

Foi em 19 de abril... Nós estávamos lá e por acaso éramos quase as únicas pessoas no hotel. Portanto, as salas públicas comuns estavam praticamente vazias, e ficamos ainda mais surpresos quando, depois do jantar, a porta da nossa sala de estar se abriu e um jovem colocou a cabeça para dentro. Estávamos cientes desse jovem. Ele era um sujeito bastante anêmico, cabelos claros e claros olhos, mas não desagradáveis. Então, quando ele disse "Desculpe, esta é uma sala privada", nós não gritamos e logo dissemos:
— Sim, é.

Mas Long disse, ou eu disse:

— Mas não importa. Por favor, entre.

— Oh, posso? — perguntou ele, parecendo aliviado.

Claro que era óbvio que ele queria companhia; e, como ele era um tipo de pessoa razoável, não o tipo de pessoa que lhe atribuía toda a sua história familiar... Nós insistimos com ele que se sentisse em casa.

— Ouso dizer que achou as outras salas um tanto sombrias — eu disse.

Ele disse que sim, mas foi realmente muito bom da nossa parte, e assim por diante. Superado isso, ele fingiu estar lendo um livro. Long jogava paciência; eu escrevia. Depois de alguns minutos, ficou claro para mim que esse nosso visitante estava um tanto inquieto ou nervoso, o que se comunicou comigo, então deixei de escrever e comecei a conversar com ele.

Depois de alguns comentários, que esqueci, ele se tornou bastante confidencial.

— O senhor vai achar muito estranho da minha parte, mas o fato é que tive um choque. — Foi assim que ele começou.

Bem, eu recomendei uma bebida animadora de algum tipo, e nós a pegamos. O garçom que entrava interrompeu, e achei que nosso jovem parecia muito nervoso quando a porta se abriu e depois de um tempo voltou a se preocupar. Não havia ninguém que ele conhecesse no local, e por acaso ele sabia quem éramos nós dois (descobriu-se que havia algum conhecido comum na cidade). Na verdade, ele queria um conselho, se não nos importássemos.

Claro que ambos dissemos:

— Certamente!

— Claro que sim!

Long guardou as cartas. E nos acomodamos para ouvir qual era sua dificuldade.

— Tudo começou mais de uma semana atrás, quando pedalei até Froston, apenas cerca de cinco ou seis milhas, para ver a igreja — disse ele. — Eu me interesso muito por arquitetura, e lá está uma daquelas lindas varandas com nichos e escudos. Tirei uma foto dela, e então um velho que estava arrumando o cemitério veio e perguntou se eu gostaria de dar uma olhada na igreja. Eu disse que sim, ele pegou uma chave e me deixou entrar. Não havia muito dentro, mas eu disse a ele que era uma igrejinha bonita e que ele a mantinha muito limpa, e completei ao dizer: "Mas a varanda é sua melhor parte". Estávamos do lado de fora da varanda, e ele disse: "Ah, sim, é uma bela varanda. E o senhor sabe o que significa aquele brasão ali?". Era aquele com as três coroas; e, embora eu não seja muito conhecedor, eu pude dizer que sim; eu pensei que fossem as velhas armas do Reino da Ânglia Oriental. "Isso mesmo, senhor", disse ele. "E o senhor sabe o que significam as três coroas que estão nele?"

— Eu disse que sem dúvida era conhecido, mas não conseguia me lembrar de tê-lo ouvido pessoalmente. "Bem, então", disse ele, "ainda que o senhor seja um intelectual, posso dizer-lhe algo que o senhor não sabe. São as três coroas sagradas que foram enterradas perto da costa para evitar que os alemães invadissem... Ah, posso ver que o senhor não acredita nisso. Mas eu lhe digo, se não fosse por uma daquelas coroas sagradas estar por lá ainda, aqueles alemães invadiriam aqui uma e outra vez; eles o fariam. Aterrariam com seus navios e matariam homens, mulheres e crianças em suas camas. Agora, esta é a verdade que estou dizendo ao senhor. E, se não acredita em mim, pergunte ao reitor. Lá está ele, pode perguntar a ele, estou dizendo."

— Olhei ao redor e lá estava o reitor, um velho de boa aparência, subindo a trilha; e, antes que eu pudesse começar a garantir ao meu velho, que estava ficando muito agitado, que eu não duvidava dele, o reitor interveio e disse: "Que história é essa, John? Bom dia, senhor. O senhor veio observar nossa igrejinha?". Então houve uma pequena conversa que permitiu ao velho se acalmar, e então o reitor perguntou-lhe novamente o que estava acontecendo.

— "Oh!", disse ele. "Não pense que não, só eu estava dizendo a este cavalheiro que ele deveria perguntar ao senhor sobre aquelas coroas sagradas." "Ah, sim, com certeza", disse o reitor, "esse é um assunto muito curioso, não é? Mas não sei se o cavalheiro está interessado em nossas velhas histórias, não?" "Oh, ele se interessará rápido o suficiente", disse o velho. "Ele confiará no que disser a ele, senhor. Ora, o senhor mesmo conheceu William Ager, pai e filho também."

— Depois, disse o quanto gostaria de ouvir tudo a respeito e, em poucos minutos, estava subindo a rua do vilarejo com o reitor, que tinha uma ou duas palavras a dizer aos paroquianos e depois à reitoria, e ali ele me levou até seu escritório. Ele havia percebido, no caminho, que eu realmente era capaz de me interessar de maneira inteligente por um trecho do folclore, e não era exatamente o viajante comum. Portanto, ele estava muito disposto a falar, e é bastante surpreendente para mim que a lenda específica que ele me contou não tenha sido publicada antes. Seu relato sobre isso foi o seguinte:

> "Sempre houve uma crença nesses lugares nas três coroas sagradas. Os idosos dizem que foram enterradas em diferentes lugares perto da costa para manter longe os dinamarqueses, os franceses ou os alemães. E eles dizem que uma das três foi desenterrada há muito tempo, outra desapareceu com a invasão da maré, e resta ainda uma a fazer tal trabalho, afastando invasores. Bem, agora, se o senhor leu os guias comuns e histórias deste condado, talvez lembre que em 1687 uma coroa, que se dizia ser a coroa de Redwald, Rei da Ânglia Oriental, foi

desenterrada em Rendlesham e... Ai de mim! Ai de mim! Ela derreteu antes mesmo de ser adequadamente descrita ou desenhada. Bem, Rendlesham não fica na costa, mas não é muito longe para o interior, e está em uma linha de acesso muito importante. E eu acredito que essa é a coroa a que as pessoas se referem quando dizem que uma foi desenterrada. Então, no sul, o senhor não quer que eu lhe diga onde havia um palácio real saxão que agora está submerso, não? Bem, ali estava a segunda coroa, eu presumo. E além desses dois, dizem, está a terceira."

— Eles dizem onde está? — claro que perguntei. — Ele respondeu: "Sim, claro, eles sabem, mas não dizem". E seu comportamento não me encorajou a fazer a pergunta óbvia. Em vez disso, esperei um momento e perguntei: "O que o velho quis dizer quando disse que o senhor conhecia William Ager, como se isso tivesse algo que ver com as coroas?". "Claro", respondeu ele, "essa é outra história curiosa."

"Esses Ager... É um nome muito antigo por aqui, mas não consigo descobrir se eles já foram pessoas da nobreza ou grandes proprietários. Esses Ager, dizem, ou disseram, que seu ramo da família foi serem os guardiões da última coroa. Um certo velho Nathaniel Ager foi o primeiro que conheci. Eu nasci e fui criado bem perto daqui; e ele, creio eu, acampou no local durante toda a guerra de 1870. William, seu filho, fez o mesmo, eu sei, durante a guerra sul-africana. E o jovem William, *seu* filho, que morreu recentemente, ficou hospedado na cabana mais próxima do local; e, sem dúvida, apressei seu fim por exposição e vigilância noturna, pois ele era um tuberculoso. E ele foi o último dessa linhagem. Era uma dor terrível para ele pensar que era o último, mas não podia fazer nada; os únicos parentes próximos a ele estavam nas colônias. Escrevi cartas a ele, implorando que viessem a negócios muito importantes para a família, mas não houve resposta. Então a última das coroas sagradas, se estiver lá, não tem guardião agora."

— Foi isso que o reitor me disse, e o senhor pode imaginar como achei interessante. A única coisa que pude pensar quando o deixei era como acertar o local onde a coroa deveria estar. Eu gostaria de ter deixado isso de lado. Mas houve uma espécie de destino nisso; pois, ao voltar de bicicleta, passando pelo muro do cemitério, meu olho captou uma lápide relativamente nova, e nela estava o nome de William Ager. Claro que desci e li. Dizia:

Desta freguesia, morreu em Seaburgh, 19..., 28 anos.

— Veja, lá estava. Um pequeno questionamento criterioso no lugar certo, e eu deveria pelo menos encontrar a pousada mais próxima do local. Só que não sabia exatamente qual era o lugar certo para começar meu questionamento. Mais uma vez, houve o destino. Ele me levou para a loja de curiosidades lá embaixo, o senhor sabe, eu entreguei alguns livros antigos, e, se me permite, um era um estranho livro de orações de 1740, em uma encadernação bastante bonita... Vou pegar, está no meu quarto.

Ele nos deixou um tanto surpresos, mas mal tivemos tempo de trocar comentários quando ele voltou, ofegante, e nos entregou o livro aberto na folha de rosto na qual estava, em uma caligrafia irregular:

> *Nathaniel Ager é meu nome, e Inglaterra é minha nação,*
> *Seaburgh é minha morada, e Cristo é minha salvação,*
> *Quando estou morto e em meu túmulo, e todos os meus ossos podres estão,*
> *Espero que o Senhor pense em mim quando minha lembrança esquecerão.*

Esse poema foi datado de 1754, e havia muito mais entradas dos Ager, Nathaniel, Frederick, William e assim por diante, terminando com William, 19...

— Veja bem — disse ele —, qualquer pessoa diria que foi o maior golpe de sorte. Sim, mas não agora. É claro que perguntei ao vendedor sobre William Ager, e é claro que, por acaso, ele se lembrou de que se hospedara em uma pousada no Campo Norte e morrera lá. Isso estava apenas delimitando o caminho para mim. Eu sabia qual deveria ser a pousada; há apenas uma de tamanho considerável por ali. O próximo passo foi conseguir algum tipo de informação com as pessoas, e eu comecei a caminhar por ali imediatamente. Um cachorro veio até mim e ele me atacou tão ferozmente que as pessoas tiveram que correr e repreendê-lo. E então, naturalmente, pediram meu perdão, e começamos a conversar. Eu só tinha de mencionar o nome de Ager e fingir que sabia, ou pensava que sabia algo sobre ele, e então a mulher disse como era triste ele morrer tão jovem, e ela tinha certeza de que isso acontecera porque ele passara a noite ao ar livre no frio. Então eu tive de perguntar: "Ele foi até o mar durante a noite?". E ela respondeu: "Oh, não, foi à colina lá com as árvores".

— E lá eu estava. Eu sei algo sobre explorar estes túmulos. Já abri muitos deles no interior do país. Mas isso foi com a licença do proprietário, em plena luz do dia e com homens para ajudar. Eu tive de analisar com muito cuidado aqui antes de colocar uma pá naquilo. Eu não poderia abrir trincheiras no monte; e, com aqueles antigos pinheiros crescendo lá, eu sabia que haveria raízes de árvores estranhas. Ainda assim o solo estava muito macio, arenoso, fácil, e havia uma toca de coelho ou algo assim que poderia transformar-se em um túnel. Sair e voltar em horários estranhos para o hotel seria a parte estranha. Quando havia decidido como fazer a escavação, disse às pessoas que fora chamado para passar uma noite fora, e passei o tempo lá. Eu fiz meu túnel. Não vou aborrecê-los, com os detalhes de como o apoiei e preenchi quando terminei, mas o principal é que encontrei a coroa.

Naturalmente, nós dois explodimos em exclamações de surpresa e interesse. Eu, pelo menos, sabia há muito tempo sobre a descoberta da coroa em Rendlesham, e muitas vezes lamentava seu destino. Ninguém jamais viu uma coroa anglo-saxônica... Pelo menos ninguém viu. Mas nosso homem olhou para nós com um olhar pesaroso.

— Sim — disse ele. — E o pior de tudo é que não sei como colocá-la de volta.

— Colocá-la de volta?! — exclamamos.

— Ora, meu caro senhor, o senhor fez uma das descobertas mais emocionantes de que já se ouviu falar neste país. Claro que deveria ir para a Jewel House na Torre. Qual é o problema? Se estiver pensando no proprietário da terra, no tesouro e em tudo isso, certamente podemos ajudá-lo. Ninguém vai preocupar-se com detalhes técnicos em um caso desse tipo.

Provavelmente mais foi dito, mas tudo o que ele fez foi colocar o rosto nas mãos e murmurar:

— Eu não sei como colocá-la de volta.

Por fim, Long disse:

— Espero que me perdoe se parecer impertinente, mas tem *certeza* de que a encontrou?

Eu queria fazer a mesma pergunta por mim mesmo, pois é claro que a história parecia o sonho de um louco quando se pensava nela. Mas não ousei dizer o que poderia ferir os sentimentos do pobre jovem. No entanto, ele aceitou com muita calma; na verdade, pode-se dizer com a calma do desespero. Ele se sentou e disse:

— Oh, sim, não há dúvida disso. Eu a tenho aqui, no meu quarto, trancada em minha mala. Os senhores podem vir e olhar, se quiserem. Não vou oferecer para trazê-la aqui.

Provavelmente nós não deixaríamos a chance escapar. Nós fomos com ele; seu quarto estava a apenas algumas portas de distância. Os criados estavam apenas recolhendo sapatos no corredor, ou assim pensamos. Depois não tínhamos certeza. Nosso visitante, seu nome era Paxton, estava com mais calafrios do que antes e entrou apressado no quarto, acenou para que o seguíssemos, acendeu a luz e fechou a porta cuidadosamente. Em seguida, destrancou a mala e tirou uma trouxa de limpos lenços de bolso com algo embrulhado, colocou-a na cama e a desfez.

Agora posso dizer que *vi* uma real coroa anglo-saxônica. Era de prata, como sempre se diz que a de Rendlesham era; era adornada com algumas pedras preciosas, principalmente entalhes e camafeus antigos, e tinha um acabamento bastante simples, quase bruto. Na verdade, eram como aqueles que se vê nas moedas e nos manuscritos. Não encontrei nenhuma razão para pensar que fosse posterior ao século IX. Eu estava muito interessado, é claro, e queria tocar aquilo com minhas mãos, mas Paxton me impediu.

— *Não* toque nela! — disse ele. — Eu farei isso.

E com um suspiro que, eu declaro ao senhor, era terrível de ouvir, ele a pegou e a girou para que pudéssemos ver cada parte dela.

— Viram o suficiente? — disse ele finalmente, e nós assentimos.

Ele embrulhou, trancou-a em sua mala e ficou olhando para nós, mudo.

— Voltemos para nossa sala, e diga-nos qual é o problema — disse Long.

Ele nos agradeceu e disse:

— O senhor vai primeiro, e veja se... se o percurso está vazio.

Isso não foi muito compreensível, pois nossos procedimentos não foram, afinal, muito suspeitos, e o hotel, como eu disse, estava praticamente vazio. No entanto, estávamos começando a ter indícios de... Nós não sabíamos o quê, e de qualquer forma os nervos são contagiantes. Então nós fomos, primeiro olhando para fora ao abrir a porta, e imaginando (eu descobri que nós dois tínhamos uma fantasia) que uma sombra, ou mais do que uma sombra, porém sem fazer som algum, passou diante de nós para um lado enquanto nós saíamos para o corredor.

— Está tudo bem — sussurramos para Paxton (sussurrar parecia o tom adequado), e voltamos, com ele entre nós, para a nossa sala de estar. Eu estava-me preparando, quando chegamos lá, para ficar em êxtase com o interesse único do que havíamos visto, mas, quando olhei para Paxton, vi que isso seria terrivelmente inadequado e deixei que ele começasse.

— O que *deve* ser feito? — Foi seu início.

Long achou correto, como me explicou depois, ser lento, e disse:

— Por que não descobrir quem é o proprietário da terra e informar...

— Oh, não, não! — interrompeu Paxton com impaciência. — Peço perdão. O senhor foi muito gentil, mas não vê que aquilo *precisa* retornar, e eu não ouso estar ali durante a noite, e durante o dia é impossível. Porém, talvez o senhor não entenda... Bem, então, a verdade é que nunca estive sozinho desde que toquei nela.

Eu estava começando um comentário bastante estúpido, mas Long chamou minha atenção e eu parei. Long disse:

— Acho que entendo, talvez, mas não seria... Um alívio contar-nos um pouco mais claramente qual é a situação?

Então tudo se revelou. Paxton olhou por cima do ombro e acenou para que nos aproximássemos dele, e começou a falar em voz baixa. Ouvimos com muita atenção, é claro, e comparamos as anotações depois, e escrevi nossa versão, então estou confiante de tudo o que ele nos disse, quase palavra por palavra. Ele disse:

Tudo começou quando eu estava fazendo a investigação pela primeira vez, e me afastou várias vezes. Sempre havia alguém, um homem, parado ao lado de um dos pinheiros. Isso foi durante o dia, os senhores sabem. Ele nunca esteve na minha frente. Mas eu sempre o vi com o canto dos olhos, à esquerda ou à direita, e ele nunca estava lá quando olhava diretamente para ele. Eu me abaixava por um bom tempo e observava cuidadosamente para ter certeza de que não havia ninguém; e, então, quando me levantava e dava início à investigação novamente, lá estava ele.

E ele começou a me dar avisos, além disso. Onde quer que eu coloque esse livro de orações, exceto trancá-lo, o que finalmente fiz, quando voltei para o meu quarto, ele estava sempre na minha mesa aberto na folha de rosto em que estão os nomes e uma das minhas navalhas no centro para mantê-lo aberto. Tenho certeza de que ele simplesmente não consegue abrir minha bolsa, ou algo além teria acontecido. Vejam, ele é leve e frágil, mas mesmo assim não ouso encará-lo.

Bem, então, quando eu estava fazendo o túnel, é claro que era pior, e se eu não estivesse tão ansioso, teria largado tudo e fugido. Era como se alguém estivesse arranhando minhas costas o tempo todo. Por muito tempo pensei que era apenas terra caindo sobre mim, mas, quando cheguei mais perto da... da coroa, era inconfundível. E quando eu realmente a vi e coloquei meus dedos em sua abertura e puxei-a para fora, veio uma espécie de grito atrás de mim... Ah, eu não posso dizer aos senhores como foi desolador!

E terrivelmente ameaçador também. Isso estragou todo o meu prazer em minha descoberta. Acabou com ele naquele momento. E, se eu não fosse o idiota miserável que sou, deveria ter colocado a coisa de volta no lugar e deixado lá. Mas não o fiz. O resto do tempo foi simplesmente terrível. Eu tinha horas para passar antes que pudesse decentemente voltar para o hotel. Primeiro, passei um tempo enchendo meu túnel e cobrindo meus rastros, e o tempo todo ele estava lá tentando impedir-me. Às vezes, os senhores sabem, é possível vê-lo, às vezes não, penso que seja como ele quer. Ele está lá, mas tem algum poder sobre meus olhos.

Bem, eu não saí do local muito antes do nascer do sol, e então tive de chegar ao cruzamento para Seaburgh e pegar um trem de volta. E, embora já fosse dia, não sei se isso tornou tudo muito melhor. Sempre havia cercas vivas, arbustos de junco ou limites de parques ao longo da estrada, algum tipo de cobertura, quero dizer... E eu nunca estive tranquilo, nem por um segundo. E então, quando comecei a encontrar pessoas indo para o trabalho, elas sempre olhavam para trás de maneira muito estranha. Elas podem ter-se surpreendido ao ver alguém tão cedo, mas não pensei que fosse só isso, e agora não penso... Elas não olharam exatamente para *mim*. E o funcionário do trem também agiu assim. E o guarda manteve a porta aberta depois que eu entrei no vagão, exatamente como ele faria se houvesse alguém vindo, os senhores sabem. Oh, podem ter certeza de que não é minha imaginação.

Ele concluiu com uma espécie de riso aborrecido e completou:

— E, mesmo que eu coloque de volta, ele não vai perdoar-me. Tenho certeza disso. E eu era tão feliz quinze dias atrás.

Ele se deixou cair em uma cadeira, e acredito que tenha começado a chorar.

Não sabíamos o que dizer, mas sentimos que devíamos ajudar de alguma forma, e então, realmente parecia a única coisa, dissemos que, se ele estivesse decidido a colocar a coroa de volta no lugar, nós poderíamos ajudá-lo. E devo dizer que, depois do que ouvimos, parecia a coisa certa. Se essas horríveis consequências tivessem acontecido com esse pobre homem, não haveria realmente algo na ideia original de que a coroa tinha algum poder curioso associado a ela para proteger a costa? Pelo menos, era esse o meu sentimento, e acho que era o de Long também. Nossa oferta foi muito bem-vinda a Paxton, de qualquer forma.

Quando poderíamos fazer isso? Eram quase dez e meia. Será que poderíamos fazer uma caminhada tardia compreensível ao pessoal do hotel naquela mesma noite? Olhamos pela janela, e havia uma lua cheia brilhante, a lua pascal. Long se comprometeu a lidar com os funcionários e distraí-los. Ele deveria dizer que não deveríamos demorar muito; e, se achássemos tão agradável que parássemos um pouco mais, veríamos que eles não deveriam perder nada para nos esperar. Bem, éramos clientes bastante regulares do hotel, e não causávamos muitos problemas, e éramos considerados pelos funcionários como não adequados ao comportamento de gorjetas. E assim os funcionários *foram* distraídos e nos deixaram sair para a orla marítima, e ficaram, como ouvimos mais tarde, observando-nos. Paxton tinha um grande casaco no braço, sob o qual estava a coroa embrulhada.

Assim, partimos nessa estranha missão antes de termos tempo para pensar o quanto aquilo estava fora do lugar. Contei essa parte brevemente de propósito, pois ela realmente representa a pressa com que estabelecemos nosso plano e agimos.

— O caminho mais curto é subir a colina e passar pelo cemitério — disse Paxton, enquanto parávamos por um momento diante do hotel, olhando para frente e para trás.

Não havia ninguém por perto, absolutamente ninguém. Seaburgh fora da temporada é um lugar calmo e tranquilo.

— Não podemos ir ao longo do dique da cabana, por causa do cachorro — disse Paxton também, quando apontei para o que pensei ser um caminho mais curto pela frente e entre dois campos.

A razão que ele deu era boa o suficiente. Subimos a estrada que levava à igreja e entramos no portão do cemitério. Confesso ter pensado que poderia haver alguém deitado ali que pudesse estar consciente de nosso negócio, mas, se assim fosse, também sabiam que um que estava do lado deles, por assim dizer, nos mantinha sob vigilância, e não vimos nenhum sinal deles. Porém, sentimos que estávamos sob observação, como nunca senti em outro momento. Especialmente quando saímos do cemitério da igreja e entramos em um caminho estreito com cercas vivas altas e próximas, através do qual nos apressamos como Cristão quando atravessou aquele Vale[1], e assim saímos em campos abertos. Depois, seguimos ao longo de cercas vivas, embora preferisse estar ao ar livre, onde poderia ver se alguém estava visível atrás de mim. Havia mais um portão ou dois e, em seguida, um desvio para a esquerda, levando-nos ao cume que terminava naquele monte.

À medida que nos aproximávamos, Henry Long sentiu, e eu também senti, que havia o que eu só posso chamar de presenças turvas esperando por nós, bem como uma muito mais real a nos observar. Da agitação de Paxton todo esse tempo, não posso dar uma imagem adequada. Ele respirava como uma fera ao ser caçada, e nenhum de nós dois podia olhar em seu rosto. Como ele se arranjaria quando chegássemos ao mesmo lugar não nos importávamos em pensar, ele parecia tão certo de que isso não seria difícil. E não foi.

Nunca vi nada parecido com a arrancada com que ele se atirou em um determinado ponto na lateral do monte e o dilacerou, de modo que em poucos minu-

---

1. Nota do revisor: provável referência a "O peregrino", de John Bunyan.

tos a maior parte de seu corpo estava fora de vista. Ficamos segurando o casaco e aquela trouxa de lenços e olhando, com muito medo, devo admitir, ao nosso redor. Não havia nada que ser visto. Uma fila de pinheiros escuros atrás de nós formava um horizonte, havia mais árvores e a torre da igreja a meia milha à direita, cabanas e um moinho de vento no horizonte à esquerda, mar calmo morto em frente, o fraco latido de um cachorro em uma cabana em um dique reluzente entre nós e ela: a lua cheia fazendo aquele caminho que conhecemos através do mar, o sussurro eterno dos pinheiros escoceses logo acima de nós e do mar à frente. No entanto, em todo esse silêncio, havia uma consciência aguda e incômoda de uma hostilidade presente muito perto de nós, como um cachorro na coleira que pode ser solto a qualquer momento.

Paxton saiu do buraco e estendeu a mão para nós.

— Dê-me — sussurrou ele. — Desembrulhada.

Tiramos os lenços, e ele pegou a coroa. O luar caiu sobre ele enquanto a segurava. Nós não tínhamos tocado naquele pedaço de metal e, desde então, pensei que tudo estivesse bem. No momento seguinte, Paxton estava fora do buraco novamente e ocupado limpando a terra com as mãos que já estavam sangrando. Ele não teria nada de nossa ajuda, no entanto. Foi a parte mais longa do trabalho fazer com que o lugar parecesse intacto. Ainda assim, não sei como, ele teve um maravilhoso sucesso. Por fim, ele ficou satisfeito e voltamos.

Estávamos a algumas centenas de jardas da colina quando Long de repente lhe disse:

— Eu vi que o senhor deixou seu casaco lá. Isso não está bem. Não é? E eu certamente vi o longo sobretudo escuro onde antes ficava o túnel.

Paxton não parou, no entanto; apenas balançou a cabeça e ergueu o casaco em seu braço. E, quando nos juntamos a ele, ele disse, sem nenhuma emoção, como se nada importasse mais:

— Aquele casaco não era meu.

E, de fato, quando olhamos para trás novamente, aquela coisa escura não podia ser vista.

Bem, saímos em direção à estrada e voltamos rapidamente por ali. Era bem antes da meia-noite quando entramos, tentando fazer uma boa expressão ao dizer, Long e eu, que era uma noite adorável para uma caminhada. Os funcionários nos estavam procurando, e fizemos observações como essa para informá-los ao entrar no hotel. Ele deu outra olhada para cima e para baixo à beira-mar antes de trancar a porta da frente, e disse:

— O senhor não conheceu muitas pessoas por aí, suponho, senhor?

— Não, de fato, nem mesmo uma alma — eu respondi; e, pelo que me lembro, Paxton olhou para mim de modo estranho.

— É só que pensei ter visto alguém virar a estrada da estação depois dos senhores — disse o funcionário. — Ainda assim, os senhores estavam em três, e suponho que ele não desejasse causar dano.

Eu não sabia o que dizer. Long apenas disse:

— Boa noite.

E nós subimos prometendo apagar todas as luzes e ir para a cama em poucos minutos.

De volta ao nosso quarto, fizemos o possível para que Paxton tivesse uma impressão alegre.

— Lá está a coroa de volta, segura — dissemos. — Muito provavelmente teria sido melhor não a tocar.

— Ele concordou intensamente com isso. — Mas nenhum dano real foi feito, e nunca devemos dizer isso a ninguém que estaria tão louco a ponto de chegar perto dela. Além disso, não se sente melhor?

— Eu não me importo de confessar — eu disse — que, no caminho, eu estava muito inclinado a ter a sua opinião sobre... Bem, sobre ser seguido; mas, voltando: não era a mesma coisa, não é? Não, não seria possível.

— *Vocês* não têm nada com que se preocupar — disse ele —, mas eu não estou perdoado. Ainda tenho de pagar por aquele miserável sacrilégio. Já sei o que vai dizer. A Igreja pode ajudar. Sim, mas é o corpo que deve sofrer. É verdade que não estou sentindo que ele está esperando por mim do lado de fora agora. Mas...

Então ele parou. Então ele se virou para nos agradecer, e nós o afastamos assim que pudemos. E, naturalmente, nós o pressionamos para usar nosso quarto no dia seguinte e dissemos que estaríamos felizes em sair com ele. Ou ele jogava golfe, talvez? Sim, ele jogava, mas não achava que se importaria com isso no dia seguinte. Bem, nós recomendamos que ele se levantasse tarde e sentasse no nosso quarto de manhã enquanto jogávamos, e faríamos uma caminhada mais tarde durante o dia. Ele era muito submisso e *calmo* a respeito de tudo, pronto para fazer exatamente o que achávamos melhor, mas claramente bastante certo em sua própria mente de que o que estava por vir não poderia ser evitado ou amenizado. O senhor pode-se perguntar por que não insistimos em acompanhá-lo até sua casa e vê-lo seguro aos cuidados de irmãos ou de alguém. O fato é que ele não tinha ninguém. Ele tinha um apartamento na cidade, mas ultimamente tinha decidido estabelecer-se por um tempo na Suécia; desmontou seu apartamento e despachou seus pertences, e estava-se afastando quinze dias ou três semanas antes de partir. De qualquer forma, não vimos o que poderíamos fazer melhor do que dormir próximo dele, ou não dormir muito, como era o meu caso, e ver como nos sentiríamos na manhã seguinte.

Sentimo-nos muito diferentes, Long e eu, em uma manhã tão bonita de abril como o senhor poderia desejar, e Paxton também parecia muito diferente quando o vimos no café da manhã.

— Parece que foi a primeira vez que tive uma noite decente — disse ele.

Porém ele faria o que tínhamos resolvido, ficar provavelmente a manhã toda e sair conosco mais tarde. Fomos aos campos de golfe, encontramos alguns outros homens e jogamos com eles ali durante a manhã, e almoçamos lá bem cedo, para que não ocorressem atrasos. Mesmo assim, as armadilhas da morte o alcançaram.

Se poderia ter sido evitado, não sei. Acho que ele teria sido atingido de alguma forma; fizemos o que era possível. De qualquer modo, foi isto que aconteceu.

Fomos direto para o nosso quarto. Paxton estava lá, lendo pacificamente.

— Pronto para sair em breve? — perguntou Long. — Digamos, em meia hora?

— Certamente — respondeu ele, e eu disse que nos trocaríamos primeiro, e talvez tomaríamos banho, e o chamaríamos em meia hora.

Tomei meu banho primeiro, fui descansar em minha cama e dormi por cerca de dez minutos. Saímos de nossos quartos ao mesmo tempo, e fomos juntos para a sala de estar. Paxton não estava lá, havia apenas seu livro. Ele também não estava em seu quarto, nem nas salas de baixo. Nós gritamos por ele.

Um funcionário saiu e disse:

— O que houve? Pensei que os senhores já houvessem saído assim como fez o outro cavalheiro. Ele ouviu o senhor chamá-lo do campo ali e saiu correndo apressado. E eu olhei pela janela do café, mas não o vi. De qualquer forma, ele correu em direção à praia naquela direção.

Sem dizer uma palavra, também corremos para lá, era na direção oposta à da expedição da noite anterior. Não eram exatamente quatro da tarde, e o dia estava bom, embora não tão bom quanto antes, então realmente não havia motivo, diria ao senhor, para ansiedade. Com pessoas por perto, certamente um homem não poderia correr muito perigo.

Porém algo em nosso olhar, ao sairmos correndo, deve ter interessado ao criado, pois ele apareceu na escada, apontou e disse:

— Sim, é por ali que ele foi.

Corremos até o limite da margem na praia e lá paramos. Havia uma escolha de caminhos, passando pelas casas à beira-mar ou ao longo da areia no centro da praia, que, estando a maré baixa, era bastante amplo. Ou, claro, poderíamos continuar ao longo do cascalho entre esses dois caminhos e ter uma visão de ambos; apenas isso era pesado. Escolhemos a areia, pois era a mais solitária, e alguém *poderia* correr perigo ali ao observar sem ser visto do caminho público.

Long disse que vira Paxton a uma certa distância à frente, correndo e acenando com sua bengala, como se quisesse sinalizar para as pessoas que estavam à sua frente. Eu não podia ter certeza, uma dessas névoas marítimas chegava muito rapidamente do sul. Só gostaria que houvesse alguém a quem eu pudesse recorrer. E havia pegadas na areia como de alguém correndo ao usar sapatos, mas havia outras pegadas feitas antes dessas, os sapatos às vezes pisavam nelas e interferiam, e eram de alguém que não usava sapatos. Oh, é claro, é apenas minha palavra que o senhor deve aceitar para tudo isso.

Long está distraído, não teríamos tempo ou meios para fazer esboços ou pegar moldes, e a maré seguinte lavou tudo. Tudo o que podíamos fazer era perceber essas pegadas enquanto nos apressávamos. Mas lá estavam elas repetidas vezes, e não tínhamos nenhuma dúvida de que o que vimos foi o rastro de um pé descalço, que mostrava mais ossos do que carne.

A noção de Paxton correndo atrás de algo assim, e supondo que fossem os amigos que ele estava procurando, foi muito terrível para nós. O senhor é capaz de adivinhar o que nós imaginamos, como a coisa que ele estava seguindo pode parar de repente e girar ao redor dele, e que tipo de rosto ela mostraria, meio visto no início na névoa, que o tempo todo ficava cada vez mais espessa. E, enquanto eu me perguntava como o pobre desgraçado poderia ter sido atraído para confundir aquela outra coisa conosco, lembrei-me do que disse:

Ele tem algum poder sobre meus olhos.

E então eu me perguntei qual seria o fim, pois eu não tinha esperança agora de que o fim poderia ser evitado e... Bem, não há necessidade de dizer todos os pensamentos sombrios e horríveis que passaram pela minha cabeça enquanto corríamos na direção da névoa. Também era estranho que o sol ainda brilhasse no céu e não pudéssemos ver nada. Só podíamos dizer que tínhamos passado pelas casas e havíamos alcançado aquele espaço que existe entre elas e a velha torre de defesa. Ao passar pela torre, é claro que não há nada além de cascalho por um longo caminho, nem uma casa, nem uma criatura humana, apenas aquele pedaço de terra, ou melhor, cascalho, com o rio à sua direita e o mar à sua esquerda.

Porém, pouco antes disso, perto da torre de defesa, é possível lembrar que existe ali a velha fortaleza, perto do mar. Eu acredito que há apenas alguns blocos de concreto agora, o resto foi todo lavado, mas neste momento havia muito mais, embora o lugar fosse uma ruína. Bem, quando chegamos lá, subimos ao topo o mais rápido que pudemos, para respirar e olhar sobre o cascalho à frente se por acaso a névoa nos permitisse ver qualquer coisa. Porém um momento de descanso deveríamos ter. Tínhamos corrido uma milha, pelo menos. Nada era visível à nossa frente, e estávamos apenas entrando em um acordo para descer e correr desesperadamente, quando ouvimos o que só posso chamar de uma risada. E, se é possível entender o que quero dizer com uma risada sem fôlego, uma risada sem pulmão, seria assim, mas não suponho que seja possível. Ela veio de baixo e desviou na direção da névoa. Isso era suficiente. Nós nos curvamos sobre a parede. Paxton estava lá no centro.

Não é necessário dizer que ele estava morto. Seus rastros mostraram que ele havia corrido ao longo da lateral da fortificação, virado bruscamente na esquina e, sem dúvida, deve ter caído direto para os braços abertos de alguém que o esperava lá. Sua boca estava cheia de areia e pedras, e seus dentes e mandíbulas estavam quebrados em pedaços. Eu olhei apenas uma vez para seu rosto.

No mesmo momento, quando estávamos descendo da fortificação para chegar ao corpo, ouvimos um grito e vimos um homem correndo pela margem da torre de defesa. Ali, parado, estava o guarda, e seus olhos perspicazes conseguiram ver através da névoa que algo estava errado. Ele tinha visto Paxton cair e tinha-nos visto um momento depois, correndo. A sorte tinha sido essa, pois de outra forma dificilmente poderíamos escapar da suspeita de estarmos envolvidos no terrível negócio. Perguntamos se ele havia visto alguém atacando nosso amigo. Ele não podia ter certeza.

Mandamo-lo pedir ajuda e ficamos com o homem morto até que eles vieram com a maca. Foi então que descobrimos como ele tinha vindo, na estreita faixa de areia sob a parede da fortificação. O resto do caminho era de cascalho e era extremamente impossível dizer para onde o outro tinha ido.

O que deveríamos dizer no inquérito? Sentíamos que era um dever não abrir mão, naquele momento, do segredo da coroa, para ser publicado em todos os jornais. Eu não sei o quanto o senhor teria dito, mas o que concordamos foi o seguinte: dizer que só tínhamos conhecido Paxton no dia anterior, e que ele nos havia dito que estava sob alguma apreensão de perigo nas mãos de um homem chamado William Ager. Também que tínhamos visto algumas outras pegadas além das de Paxton quando o seguimos pela praia. No entanto, é claro que naquele momento tudo teria sumido das areias.

Ninguém tinha conhecimento, felizmente, de qualquer William Ager que vivesse no distrito. A evidência do homem na torre de defesa nos libertou de todas as suspeitas. Tudo o que poderia ser feito era retornar um veredicto de homicídio doloso cometido por pessoa ou pessoas desconhecidas.

Paxton era tão totalmente desprovido de conexões, que todas as investigações feitas posteriormente terminaram em:

Nenhuma evidência encontrada.

E eu nunca estive em Seaburgh, ou mesmo perto dela, desde então.

Entretenimento de uma noite

Nada é mais comum em livros antiquados do que a descrição da lareira de inverno em que a avó idosa narra para o círculo de crianças, atento a seus lábios, histórias e mais histórias com fantasmas e fadas, e inspira seu público com um agradável terror. Mas nunca fomos capazes de saber quais eram as histórias. Ouvimos, de fato, sobre espectros cobertos com olhos arredondados e, o que é ainda mais intrigante, *sobre a cabeça em carne viva e ossos ensanguentados* (uma expressão que o Dicionário Oxford remonta a 1550), mas o contexto dessas imagens impressionantes nos escapa.

Aqui está, então, um problema que há muito tempo me deixa obcecado, mas não vejo meios de finalmente resolvê-lo. As avós idosas se foram, e os estudiosos de folclore começaram seu trabalho na Inglaterra tarde demais para salvar a maioria das histórias daqueles tempos que contavam as avós. No entanto, essas coisas não morrem completamente, e a imaginação, trabalhando em espalhadas sugestões, pode ser capaz de conceber uma imagem dos entretenimentos noturnos, como as *Conversas de uma noite*, de Sra. Marcet, os *Diálogos sobre Química*, de Sr. Joyce, e a *Filosofia Científica e Séria do Esporte*, ao substituir o erro e a superstição pela luz da utilidade e da verdade. Por fim, alguns termos como esses.

CHARLES:
> Eu acho, papai, que agora entendo as propriedades da alavanca, que o senhor tão gentilmente me explicou no sábado, mas eu tenho estado muito intrigado desde então ao pensar sobre o pêndulo, e me perguntei por que é que, quando o paramos, o relógio não continua mais.

PAPAI:
> (Seu pequeno travesso, você tem-se metido com o relógio da sala? Venha até aqui! *Não, isso deve ser um detalhe que de alguma forma se infiltrou no assunto.*) Bem, meu menino, embora eu não aprove totalmente a sua condução sem minha supervisão de experimentos que possivelmente podem prejudicar a utilidade de um valioso instrumento científico, farei o meu melhor para explicar os princípios do pêndulo a você. Pegue um pedaço de corda resistente da gaveta do meu escritório e peça à cozinheira que faça a gentileza de lhe emprestar um dos pesos que usa na cozinha.

Então aqui estamos.

Quão diferente é a cena em uma casa em que os raios da Ciência ainda não penetraram! O escudeiro, exausto por um longo dia depois das perdizes e repleto de comida e bebida, ronca de um lado da lareira. Sua velha mãe está sentada em frente a ele tricotando, e os filhos (Charles e Fanny, não Harry e Lucy; eles nunca teriam suportado) estão reunidos em torno de seus joelhos.

AVÓ:
    Agora, meus queridos, vocês devem ficar muito comportados e calados, ou vão acordar o pai de vocês e saberão o que acontecerá então.

CHARLES:
    Sim, eu sei, ele vai ficar irritado e mal-humorado, e nos mandará para a cama.

AVÓ (*para de tricotar e fala com severidade*):
    O que é isso? Que vergonha, Charles! Esses não são modos de falar. Bem, eu *ia* contar uma história a vocês, mas, se usar essas palavras, não vou contar.

    (Reclamação reprimida: *Ah, vovó!*)

    Silêncio! Silêncio! Agora acredito que você *tenha* acordado seu pai!

ESCUDEIRO (*irritado*):
    Olhe aqui, mãe: se a senhora não é capaz de manter esses pirralhos quietos...

AVÓ:

Sim, John, sim! É muito difícil. Disse a eles que, se acontecer de novo, eles irão para a cama.

O escudeiro bufa.

AVÓ:

Pronto, agora veem, crianças, o que eu lhes disse? *Devem* ficar comportados e calados. E vou-lhes dizer uma coisa: amanhã vocês vão colher amora preta; e, se trouxerem uma bela cestinha cheia, farei geleia para vocês.

CHARLES:

Oh, sim, vovó! E eu sei onde as melhores amoras estão! Eu as vi hoje.

AVÓ:

E onde é, Charles?

CHARLES:

Ora, na pequena estradinha que passa pela cabana dos Collins.

AVÓ (*colocando de lado seu tricô*):

Charles! Faça o que fizer, não se atreva a escolher uma única amora naquela estrada. Você não *sabe*... Mas, ah, como poderia? No que eu estava pensando? Bem, de qualquer maneira, preste atenção no que digo...

CHARLES E FANNY:

    Mas por quê, vovó? Por que não devemos colhê-las ali?

AVÓ:

    Silêncio! Silêncio! Muito bem então; vou contar tudo a vocês, mas não devem fazer interrupções. Agora, deixe-me ver... Quando eu era bem pequena, aquela estrada tinha um nome ruim, embora pareça que as pessoas não se lembrem disso agora. E um dia... Nossa, como poderia ser esta noite. Eu disse à minha pobre mãe quando voltei para casa para o jantar, era uma noite de verão... Eu disse a ela onde tinha estado durante minha caminhada e sobre como tinha voltado por aquela estrada, e perguntei-lhe como é que havia amoras e amoras crescendo em um pequeno trecho no topo da estrada. E... Ah, meu Deus, como ela estava! Ela me sacudiu, me deu um tapa e disse:

    "Sua criança atrevida! Atrevida! Não a proibi vinte vezes de pôr os pés naquela estrada? E lá vai você vagando durante a noite."

    E assim por diante; e, quando terminou, fiquei quase surpresa demais para dizer qualquer coisa. Porém, eu a fiz acreditar que foi a primeira vez que tinha ouvido falar daquilo, e isso não era nada além da verdade.

    Então, com certeza, ela lamentou ter sido tão grosseira comigo e, para se reconciliar, contou-me toda a história depois do jantar. E, desde então, muitas vezes ouvi o mesmo dos idosos do lugar, e tive até meus próprios motivos para pensar que havia algo ali.

Agora, ao subir para o final dessa estrada... Deixe-me ver... É do lado direito ou esquerdo de acordo com a subida? O lado esquerdo. Vocês encontrarão um pequeno aglomerado de arbustos e um terreno acidentado no local, e algo como uma cerca viva velha deteriorada ao redor. Vocês notarão que há alguns arbustos de amoras crescendo entre eles, ou costumava haver; já faz anos que não passo por ali.

Bem, isso significa que havia um chalé ali, naturalmente. E, nesse chalé, antes de meu nascimento ou mesmo da ideia de meu nascimento, viveu um homem chamado Davis. Ouvi dizer que ele não nasceu na região, e é verdade que ninguém com esse nome vive por aqui desde que conheço esse lugar. Mas, seja como for, esse Sr. Davis vivia muito para si mesmo, muito raramente ia aos locais públicos e não trabalhava para nenhum dos fazendeiros, pois parecia ter dinheiro suficiente para viver por si mesmo.

Ele, porém, ia até a cidade em dias de compras e pegava suas cartas no correio, lugar em que chegavam as correspondências. E um dia ele voltou das compras e trouxe um jovem com ele. E esse jovem e ele viveram juntos por muito tempo, e andavam sempre juntos. Se ele apenas fazia o trabalho da casa para Sr. Davis ou se Sr. Davis era seu professor de alguma forma, ninguém parecia saber. Ouvi dizer que ele era um jovem pálido, feio e não tinha muito que dizer sobre si mesmo.

Bem, agora, o que aqueles dois homens fizeram consigo mesmos? É claro que não posso dizer a vocês metade das coisas tolas que as pessoas colocam na cabeça e nós sabemos. É que vocês não devem falar maldades quando não têm certeza se é verdade, mesmo quando as pessoas estão mortas e já se foram. Mas, como disse, aqueles dois estavam sempre juntos, tarde e cedo, para cima e para baixo no bosque, e havia um passeio peculiar que faziam regularmente uma vez por mês, para o lugar onde vocês viram aquela velha figura recortada na encosta. E ali se notou que, no verão, quando faziam aquela caminhada, acampavam a noite toda, talvez lá ou em algum lugar próximo.

Lembro-me de uma vez que meu pai, que é bisavô de vocês, disse que havia falado com Sr. Davis sobre isso (pois ele vivia em sua propriedade) e perguntou por que ele gostava tanto de ir até lá, mas ele apenas respondeu:

"Oh, é um antigo lugar maravilhoso, senhor, e eu sempre gostei das coisas antiquadas. E quando ele (esse era o homem que ele desejava mencionar) e eu estamos juntos lá, parece trazer de volta os velhos tempos tão claros."

E meu pai disse:

"Bem, pode ser adequado para os *senhores*, mas eu não gostaria de um lugar abandonado como aquele no meio da noite."

Sr. Davis sorriu, e o jovem, que estava ouvindo, disse:

"Oh, não desejamos companhia nessas horas…"

E meu pai disse que não conseguia deixar de pensar que Sr. Davis fez algum tipo de sinal, e o jovem foi rápido, como se para consertar suas palavras, e disse:

"Quer dizer, Sr. Davis e eu já temos a companhia um do outro, não é, mestre? E então há um lindo ar ali de uma noite de verão, e é possível ver todo o lugar ao redor sob a lua, e parece tão diferente, aparentemente, do que parece durante o dia. Ora, todos aqueles montes no horizonte…"

E então Sr. Davis interrompeu, parecendo irritado com o jovem, e disse:

"Ah, sim, são lugares antiquados, não são, senhor? Agora, qual o senhor acha que foi o propósito deles?"

E meu pai disse (agora, meus queridos, parece engraçado que eu seja capaz de me lembrar de tudo isso, não é? Mas me lembrei imediatamente, e, embora seja maçante talvez para vocês, não posso deixar de terminar agora); bem, ele disse:

"Ora, eu ouvi, Sr. Davis, que são todos túmulos; e eu sei, quando tive a oportunidade de arar um, sempre apareciam alguns ossos e algumas panelas. Porém, não sei de quem são os túmulos. As pessoas dizem que os antigos romanos percorreram todo este país uma vez, mas não sei dizer se enterraram seu povo assim."

E Sr. Davis balançou a cabeça, pensando, e disse:

"Ah, com certeza. Bem, eles me parecem mais velhos do que os antigos romanos e se vestem de maneira diferente... Isto é, de acordo com as imagens dos romanos, usavam uma armadura, e o senhor nunca encontrou nenhuma armadura, não é, senhor, pelo que disse?"

Meu pai ficou bastante surpreso e respondeu:

"Não sei se mencionei nada sobre armadura, mas é verdade que não me lembro de ter encontrado nenhuma. Mas o senhor fala como se as tivesse visto, Sr. Davis."

E os dois riram, Sr. Davis e o jovem, e Sr. Davis disse:

"Vê-las, senhor? Essa seria uma questão difícil depois de todos esses anos. Não, mas o que eu gostaria bem o suficiente para saber mais sobre os velhos tempos e as pessoas, e o que elas cultuavam e todos os detalhes."

E meu pai logo perguntou:

"Cultuar? Bem, atrevo-me a dizer que eles cultuavam o velho na colina."

"Ah, é verdade!"

Sr. Davis logo disse:

"Bem, eu não deveria perguntar-me isso."

E meu pai continuou e disse a eles o que tinha ouvido e lido sobre os pagãos e seus sacrifícios, o que você aprenderá um dia por si mesmo, Charles, quando for para a escola e começar a estudar latim. E eles pareciam estar muito interessados, os dois. Porém, meu pai disse que não conseguia deixar de pensar que a maior parte do que ele dizia não era novidade para eles. Essa foi a única vez que ele conversou muito com Sr. Davis, e isso ficou em sua mente, principalmente, disse ele, a palavra do jovem sobre *não querer companhia*, porque naquela época havia muita conversa nas vilas vizinhas sobre... Ora, se meu pai interferisse, as pessoas aqui teriam evitado uma velha por ser uma bruxa.

CHARLES:

O que isso significa, vovó? Evitar uma velha por ser uma bruxa? Há bruxas aqui agora?

AVÓ:

Não, não. Nossa! Ora, por que me pergunta isso? Não, não, isso é outro assunto. O que eu ia dizer era que as pessoas em outros lugares ao redor acreditavam que algum tipo de reunião acontecia à noite naquela colina onde estava o homem, e que aqueles que iam até lá não faziam nada de bom. Mas não me interrompam agora, porque está ficando tarde.

Bem, suponho que foi uma questão de três anos que Sr. Davis e este jovem continuaram morando juntos; e então, de repente, aconteceu uma coisa terrível. Não sei se devo contar a vocês...

(Lamentos: *Oh, sim! Sim, vovó, deve, sim.* — Etc.).

Bem, então vocês devem prometer não se assustar e não gritar no meio da noite.

(*Não, não! Não vamos, claro que não!*)

Certa manhã, bem cedo na virada do ano, acho que foi em setembro, um dos lenhadores teve de ir trabalhar no topo do longo esconderijo justamente quando amanhecia. E, bem onde havia alguns carvalhos grandes em uma espécie de clareira nas profundezas do bosque, ele viu ao longe algo branco que parecia um homem através da névoa, e estava em dúvida sobre continuar, mas continuou e continuou. Ele percebeu, quando se aproximou, que *era* um homem, e mais do que isso, era o jovem amigo de Sr. Davis vestido com uma espécie de vestido branco e pendurado pelo pescoço pelo maior galho do carvalho, e realmente, realmente morto. E próximo de seus pés estava no chão uma machadinha toda coberta de sangue.

Bem, que visão terrível foi aquela para alguém encontrar naquele lugar abandonado! Este pobre homem estava quase fora de si. Ele largou tudo o que carregava e correu o mais rápido que pôde direto para o Presbitério, acordou as pessoas ali e contou o que tinha visto. E o velho Sr. White, que era o pároco na época, mandou-o buscar dois ou três dos melhores homens, o ferreiro e os guardas da igreja e até mais alguns, enquanto ele se vestia. Todos eles subiram para este lugar terrível com um cavalo para deitar o pobre corpo e levá-lo até a casa.

Quando chegaram lá, tudo estava como o lenhador havia dito, mas foi um choque terrível para todos eles ao perceber como o cadáver estava vestido, especialmente para o velho Sr. White, pois lhe parecia uma paródia da batina da igreja que apenas ele usava. Ele disse a meu pai que não era da mesma forma. E, quando eles vieram tirar o corpo do carvalho, descobriram que havia uma corrente de algum metal em volta do pescoço e um pequeno ornamento, como uma roda, pendurado na frente, e disseram que parecia muito antigo.

Enquanto isso, eles mandaram um menino correr até a casa de Sr. Davis e ver se ele estava em casa, pois é claro que eles não podiam deixar de ter suas suspeitas. Sr. White disse que eles deveriam enviar alguém também ao oficial da região mais próxima e levar uma mensagem a outro magistrado (ele mesmo era um magistrado), e então havia uma correria para cá e para lá. Porém, por acaso, meu pai estava longe de casa naquela noite; caso contrário, eles o teriam buscado primeiro. Então eles deitaram o corpo sobre o cavalo, e dizem que fizeram tudo o que puderam para impedir que o animal fugisse desde o momento em que avistaram a árvore, pois parecia estar louco de medo.

No entanto, eles conseguiram cobrir seus olhos e guiá-los através do bosque e de volta para a rua do vilarejo. Lá, bem perto da grande árvore onde estão os troncos, eles encontraram muitas mulheres reunidas, e este menino que haviam mandado para a casa de Sr. Davis deitado no meio, branco como papel, e nem mesmo uma palavra poderiam arrancar dele, boa ou má. Logo viram que algo pior ainda estava por vir e fizeram o melhor para seguir o caminho até a casa de Sr. Davis, e, quando chegaram perto disso, o cavalo que guiavam parecia enlouquecer novamente de medo. O animal deu um coice e relinchou, e atingiu um homem com suas patas dianteiras; o homem que o conduzia esteve o mais próximo possível de ser morto, e, assim, o cadáver caiu de suas costas.

Então Sr. White pediu que retirassem o cavalo o mais rápido possível, e eles carregaram o corpo diretamente para a sala de estar, pois a porta estava aberta. E logo viram o que havia assustado tanto o pobre menino e adivinharam por que o cavalo enlouquecera, pois vocês sabem que cavalos não suportam o cheiro de sangue seco.

Havia uma longa mesa na sala, mais do que o comprimento de um homem, e sobre ela estava o corpo de Sr. Davis. Os olhos foram cobertos com uma faixa de linho, os braços foram amarrados nas costas e os pés foram amarrados com uma outra faixa. Mas o mais terrível é que o peito estava completamente nu, e o osso estava partido de cima para baixo com um machado!

Oh, foi uma visão terrível! Ninguém ali desmaiou, mas foram obrigados a sair para tomar ar fresco. Até mesmo Sr. White, que era o que se poderia chamar de um homem de natureza dura, ficou bastante dominado e fez uma oração pedindo forças no jardim.

Por fim, colocaram o corpo o melhor que puderam na sala e investigaram para ver se conseguiam descobrir como algo tão assustador pudesse ter acontecido. E nos armários encontraram uma quantidade de ervas e potes com licores; e descobriu-se, quando as pessoas que entendiam de tais assuntos o examinaram, que alguns desses licores eram bebidas que causavam desmaios. Eles tiveram poucas dúvidas de que aquele jovem perverso colocara um pouco disso na bebida de Sr. Davis, e então o usava como ele fazia, e, depois disso, o senso de seu pecado caiu sobre ele e ele morreu.

Bem, agora vocês não conseguiriam entender todos os negócios jurídicos que tinham de ser feitos pelo legista e pelos magistrados, mas houve uma grande movimentação de pessoas durante um ou dois dias, e então o povo da região se reuniu e concordou que não suportariam a ideia de que aqueles dois fossem enterrados no cemitério ao lado de cristãos, pois devo dizer-lhes que foram encontrados documentos e escritos nas gavetas e armários que Sr. White e alguns outros clérigos examinaram. Assim, colocaram seus nomes em um papel que dizia que esses homens eram culpados, por sua própria permissão, do terrível pecado da idolatria.

Eles temiam que houvesse algo nos lugares vizinhos que não estivesse livre dessa maldade, e temiam que a mesma coisa terrível que aconteceu a esses homens também caísse sobre eles; e, então, queimaram tais escritos.

Sr. White, por fim, tinha a mesma opinião que os paroquianos; e, tarde da noite, doze homens escolhidos foram com ele para aquela casa maligna, e levaram dois caixões feitos muito rudemente para o propósito e duas peças de tecido preto. Lá embaixo, na encruzilhada, onde é possível virar em direção a Bascombe e Wilcombe. Havia outros homens esperando com tochas e uma cova aberta, e havia também uma grande multidão reunida por todos os lados. Os homens que foram para o chalé entraram com seus chapéus na cabeça, e quatro deles pegaram os dois corpos, colocaram-nos nos caixões e cobriram com os panos pretos, e ninguém disse uma palavra. Porém, eles os carregaram pelo caminho, e foram enterrados na cova, e cobertos de pedras e terra; e, então, Sr. White pregou às pessoas que estavam reunidas.
Meu pai estava lá, pois havia voltado quando soube da notícia, e disse que nunca deveria esquecer a

estranheza da visão, com as tochas acesas e aquelas duas coisas pretas cobertas na cova, e nenhum som de qualquer das pessoas foi ouvido, exceto algo que poderia ser uma criança ou uma mulher choramingando de medo. E então, quando Sr. White terminou de falar, todos se viraram e os deixaram enterrados ali.

Dizem que os cavalos não gostam do local mesmo agora, e ouvi dizer que havia algo como uma névoa ou uma luz pairando por muito tempo depois, mas não sei a verdade sobre isso. Porém eu sei que, no dia seguinte, o trabalho de meu pai o levou além da abertura do caminho, e ele viu três ou quatro grupos de pessoas em pontos diferentes ao longo dele, aparentemente em um estado de espírito sobre alguma coisa. Ele cavalgou até elas e perguntou o que estava acontecendo. E elas correram até ele e disseram:

"Oh, escudeiro, é o sangue! Olhe para o sangue!"

E assim continuaram.

Então ele desceu do cavalo; mostraram tudo a ele, e lá, em quatro pontos, creio, ele viu grandes manchas na estrada, de sangue, mas ele mal podia ver que era sangue, pois quase todas as manchas estavam cobertas por grandes moscas negras, que nunca mudavam de lugar nem se deslocavam. E foi esse sangue que saiu do corpo de Sr. Davis enquanto o carregavam pela estrada.

Bem, meu pai não suportou fazer mais do que apenas observar a visão desagradável para ter certeza, e logo disse a um dos homens que lá estava:

"O senhor, por favor, se apresse e traga uma cesta ou um carrinho cheio de terra limpa do cemitério, e espalhe-a sobre estes lugares, e eu esperarei aqui até seu retorno."

E logo ele voltou, e o velho que era coveiro estava junto dele, com uma pá e a terra em um carrinho de mão. Eles a colocaram no primeiro dos lugares e se prepararam para lançar a terra sobre ela, e, assim que fizeram isso... O que vocês acham? As moscas que estavam nela subiram no ar em uma espécie de nuvem sólida e seguiram pela estrada em direção à casa; e o coveiro, que também era funcionário da paróquia, parou e olhou para elas, e disse ao meu pai:

"Senhor das moscas, senhor."

E nada mais ele poderia dizer. E da mesma forma ocorreu nos outros pontos, em cada um deles.

CHARLES:
Mas o que ele quis dizer, vovó?

AVÓ:
Bem, querido, lembre-se de perguntar a Sr. Lucas quando for até ele para sua aula amanhã. Não posso parar agora para falar sobre isso. Já passou da hora de vocês irem dormir. A próxima coisa foi: meu pai fez a sua cabeça para que ninguém fosse viver naquela casa novamente ou até mesmo usar qualquer uma das coisas que estavam nela. Assim, embora fosse uma das melhores no local, ele mandou dizer ao povo que aquela casa deveria ser eliminada, e qualquer um que quisesse poderia trazer uma tocha para queimá-la. E isso foi feito.

Eles construíram uma pilha de lenha na sala de estar e afrouxaram a palha para que o fogo pudesse durar, e, então, queimaram. E, como não havia tijolos, apenas a chaminé e a lareira, não demorou muito para que tudo fosse destruído. Parece que me lembro de ter visto as ruínas da chaminé quando era pequena, mas elas finalmente caíram sozinhas.

Agora, isto que devo contar é a última parte de tudo. Podem ter certeza de que, por muito tempo, as pessoas disseram que Sr. Davis e aquele jovem foram vistos, um deles no bosque e os dois onde estava a casa, ou passando juntos pela rua, principalmente na primavera e na época do outono. Não posso falar sobre isso; embora, se tivéssemos certeza de que existem coisas como fantasmas, pareceria provável que pessoas assim não descansariam quietas.

Porém, posso dizer isto a vocês, aquela noite no mês de março, pouco antes de seu avô e eu nos casarmos, estávamos fazendo uma longa caminhada no bosque juntos, colhendo flores e falando como os jovens que se cortejam. E estávamos tão atenciosos um com o outro, que não demos atenção para o lugar a que estávamos indo. E de repente eu gritei, e seu avô perguntou qual era o problema. O problema é que senti uma picada aguda nas costas da minha mão, segurei-a e vi uma coisa preta nela. Bati naquilo com a outra mão e o matei. Mostrei a ele, e ele era um homem que percebia todas essas coisas, e disse:

"Bem, eu nunca vi uma mosca como essa antes."

E, embora aos meus próprios olhos não parecesse muito fora do comum, não tenho dúvidas de que ele estava certo.

E então olhamos ao nosso redor, e eis que estávamos na mesma alameda, bem em frente ao lugar onde aquela casa ficava e, como me contaram depois, exatamente onde os homens colocaram os caixões durante um minuto quando os carregaram para fora do portão do jardim. Vocês podem ter certeza de que saímos rapidamente de lá. Pelo menos fiz seu avô ir embora rápido, pois fiquei totalmente chateada por me encontrar ali, mas ele se teria demorado mais por curiosidade, se eu tivesse permitido.

Se havia algo sobre lá mais do que pudemos ver, eu nunca terei certeza. Talvez tenha sido em parte o veneno da picada daquela mosca horrível que estava tendo efeito sobre mim que me fez sentir tão estranha, pois, meus queridos, como meu pobre braço e minha mão incharam de fato! Tenho medo de descrever o tamanho! E a dor daquilo também! Nada que minha mãe pudesse colocar sobre ele tinha qualquer efeito, e não melhorou até que ela foi persuadida por nossa velha babá a chamar o sábio homem de Bascombe para vir e olhar para aquilo, e eu não tive paz. Mas ele parecia saber tudo sobre aquilo e disse que eu não era a primeira que tinha sido atingida dessa maneira.

"Quando o sol está reunindo suas forças", disse ele, "e quando ele está no auge e está começando a perder o controle e ficando em sua fraqueza, é melhor que aqueles que assombram aquela estrada tenham cuidado consigo mesmos."

Mas o que ele amarrou em meu braço e o que disse sobre ele, não nos contou. Depois disso, logo fiquei bem novamente, mas desde então ouvi muitas vezes falar de pessoas sofrendo do mesmo modo que eu. Apenas nos últimos anos parece acontecer, mas muito raramente. Talvez coisas assim morram com o tempo.

Mas essa é a razão, Charles, por que eu digo que não vou deixar você colher amoras para mim naquela alameda nem comê-las. E, agora que você sabe tudo sobre isso, não imagino que o queira para si mesmo. Aí está! Vá para a cama neste minuto. O que foi, Fanny? Uma luz no seu quarto? Que ideia é essa! Vá trocar de roupa imediatamente e fazer suas orações; e talvez, se seu pai não me chamar quando acordar, eu irei dizer boa noite para você. E você, Charles, se eu ouvir alguma coisa sobre você assustar sua irmãzinha no caminho para a cama, direi a seu pai no exato momento. E você sabe o que aconteceu com você da última vez.

A porta se fecha, e vovó, depois de ouvir atentamente por um minuto ou dois, retoma seu tricô. O escudeiro ainda dorme.

INFORMAÇÕES SOBRE NOSSAS PUBLICAÇÕES
E ÚLTIMOS LANÇAMENTOS

instagram.com/pandorgaeditora

facebook.com/editorapandorga

pandorga.com.br